韓国語能[illegible]験
TOPIK
I【初級】
完全対策

韓国語評価研究所 著

※本書は、韓国で出版された書籍の日本語版です。例文や問題文に日本の状況とは異なる内容、設定のものが一部含まれています。

はじめに

TOPIK（Test of Proficiency in Korean=韓国語能力試験）は、一人で韓国語を学んでいる人や、韓国の大学に入学するため、あるいは韓国企業に就職するために韓国語を学んでいる人たちが、自分の実力を確認できる基準としてその重要性を増しています。2014年7月（日本では同年10月）より、TOPIKは新たな形式の試験として実施されていますが、改編されたばかりのTOPIKをどう準備すればよいか、心配している受験者の方たちも多いでしょう。本書は、そうした受験者の方たちのお役に立てればという思いで作られました。

本書は、新しい体制に変わったTOPIK Ⅰに受験者が備えることができるよう、まず、新たなTOPIKの体制と形式、評価方式について解説を行いました。次に、出題形式と試験準備のための戦略を説明しています。そして最後に、受験者が実践さながらにTOPIK Ⅰの練習をできるよう、三つの模擬試験とそれに対する詳しい解説を掲載しています。特に、新たなTOPIKについて、従来のTOPIKと比較しながら説明しているので、これまでTOPIKの学習を行ってきた方たちも効果的に準備を行えるはずです。さらに、日本でTOPIKの受験対策を指導する先生たちのお役にも立てることと信じています。

この場をお借りして、韓国でこの本の出版を承諾してくださったハングルパークのオム会長、物心両面で多くのご支援をいただいたハングルパーク編集委員の皆さま、データ分析や問題開発を手掛けた韓国語評価研究所の研究者たちに感謝の意を表したいと思います。また、日本で本書を出版する機会を下さった株式会社HANAの裵社長と、日本語版の制作に当たり細部にわたってチェックを行い、日本人学習者のための解説を加えることで、さらに内容に磨きをかけてくださったHANA韓国語教育研究会の皆さまに心より感謝申し上げます。

韓国語評価研究所 代表

目　次

本書の構成

本書には、試験の概要と解説、模擬試験3回分とその解説・訳が収められています。本書は、これまでTOPIKの準備を続けてきた人も、初めてTOPIKを受験する人も、2014年10月に改編されたTOPIKの形式にすぐに慣れることができるように構成されています。問題解説と模擬試験解説は、韓国側著者・出版者の了解のもと、日本の学習者の実情に合わせて日本で執筆いたしました。

TOPIKについて知ろう

新しく変わったTOPIKについて、従来のTOPIKと比較しながら詳しく説明しました。

TOPIK Iの問題パターンと練習

改編されたTOPIKの問題形式を説明し、問題類型に沿った練習を行うことで、個別の問題形式に慣れることができるようにしました。

模擬試験

TOPIK Iに完璧に備えることができるよう、実戦さながらの模擬試験3回分を収録しました。決められた時間内に問題を解き、答え合わせを行うことで、自分の実力を確認し、模擬試験の結果に基づいて試験のための戦略を練ることができます。

模擬試験 解答・解説・訳

模擬試験3回分の解答と詳しい解説を掲載しました。また、聞き取り問題の音声のスクリプト、問題文の訳を掲載しました。

付録CD-ROM

本書の練習と模擬試験3回の聞き取り問題の音声ファイルが収められています。音声ファイルはパソコンや携帯音楽プレーヤーで再生が可能なMP3ファイル形式になっており、全ファイル数（トラック数）は40、収録時間は1時間55分です（解答を記入するための「間」も含む）。トラックごとの内容は以下の通りです。

- TR 01–10　問題パターン別練習音声（P.43-52）
- TR 11–20　模擬試験1聞き取り問題音声（P.69-76）
- TR 21–30　模擬試験2聞き取り問題音声（P.97-104）
- TR 31–40　模擬試験3聞き取り問題音声（P.125-132）

CD-ROMは、パソコンのCD/DVDドライブに入れ、ファイルをパソコンにコピーして、あるいはCDから直接、iTunesやWindows Media Playerなどの音声ソフトを使って再生してください。

【注意】

CDラジカセなど、MP3ファイルに対応していない一般的なCDプレーヤーでは再生できませんのでご注意ください。なお、MP3ファイルのスマートフォンでのご利用方法やパソコンからスマートフォンへの音声データの移動方法については、お使いの機器のマニュアルでご確認ください。

音声ダウンロードについて

本書の音声は、小社ウェブサイト（http://www.hanapress.com）の「サポート」ページ、または右のQRコードからダウンロードが可能です。

TOPIKについて知ろう

TOPIK(韓国語能力試験)とは

TOPIKとはTest of Proficiency in Koreanの略で、日本では本来の韓国語한국어능력시험の訳である「韓国語能力試験」という名称でも知られています。本書のタイトルには二つの名称を併記しましたが、本文ではTOPIKという名称を使うことにします。

TOPIKは韓国政府が認定・実施している検定試験です。韓国文化の理解や韓国留学・就職などに必要な能力の測定・評価を目的とし、受験者の実力を1〜6級までの6段階で評価しています。日本の検定試験とは違い、数字が大きくなるほどレベルが高くなり、6級が最上級となっています。

TOPIKは世界の約70の国と地域で実施されており、日本では2017年現在、4月、7月、10月に、全国の会場で実施されています。

2014年10月(韓国では2014年7月)から、TOPIKは、従来「初級(1・2級)」「中級(3・4級)」「高級(5・6級)」の三つに分けて実施されていた試験が、初級レベルを対象にした「TOPIK I(1・2級)」と、中級・上級の受験者を対象にした「TOPIK II(3〜6級)」の二つの試験へと変わりました(表1)。受験者は、試験で取得した点数により、上記かっこ内の数字の級で評価されます。ただし、いずれの基準にも満たない場合は、不合格となります。

でも、なぜ試験が変わったのでしょうか。初級レベルのTOPIK Iに限って見てみると、従来は、「語彙・文法」「書き取り」「聞き取り」「読解」の四つの領域に分かれており、受験者の皆さんにとってはこれがとても負担になっていました。新しいTOPIK Iでは、領域が「聞き取り」と「読解」だけになり、さらに試験の総時間が80分短くなったため、受験者の負担が大幅に軽減されました。

また、新しいTOPIKでは、コミュニケーションを行う状況での言語能力を測れるように評価範囲が設定されました。従来の試験は知識的な面を評価する試験であったのに対し、変更された試験では、より実用的な韓国語遂行能力を評価できるようにしたということです。

TOPIKを日本で主管する公益財団法人韓国教育財団によると、TOPIKの級別認定基準は表2のとおりになっています。

表1

	旧体制	新体制	
試験種類	韓国語能力試験（TOPIK）	韓国語能力試験（TOPIK）	
試験等級	初級（1・2級）	TOPIK Ⅰ（1・2級）	
	中級（3・4級） 高級（5・6級）	TOPIK Ⅱ（3〜6級）	
評価領域	初・中・高級	TOPIK Ⅰ	TOPIK Ⅱ
	語彙及び文法：30問 書き取り（作文含む）：14〜16問 聞き取り：30問 読解：30問	聞き取り：30問 読解：40問	聞き取り：50問 読解：50問 書き取り：4問 （作文含む）
試験時間	180分（90分＋90分）	100分	180分（110分＋70分）

表2

◆級別の認定基準		
TOPIK Ⅰ （1・2級）	1級	「自己紹介する」「物を買う」「料理を注文する」など、生活に必要な基礎的な言語能力を持っており、「自分自身」「家族」「趣味」「天気」など、ごく私的で身近な話題に関連した内容を理解して表現できる。約800の基礎語彙と基本文法に対する理解を基に簡単な文章を作成できる。簡単な生活文と実用文を理解し、構成できる。
	2級	「電話する」「お願いする」などの日常生活に必要な言語能力と「郵便局」「銀行」などの公共施設利用に必要な言語能力を持っている。約1,500〜2,000の語彙を利用して、私的で身近な話題に関して、段落単位で理解して使うことができる。公式な状況と非公式な状況での言葉を区別して使うことができる。
TOPIK Ⅱ （3〜6級）	3級	日常生活を営むのに特に困難を感じず、さまざまな公共施設の利用や私的な関係維持に必要な基礎的言語能力を持っている。身近で具体的な素材はもちろん、自分になじみがある社会的な素材を段落単位で表現したり理解したりできる。文語と口語の基本的な特性を区別、理解して使うことができる。
	4級	公共施設利用や社会的関係維持に必要な言語能力があり、一般的な業務遂行に必要な言語能力をある程度持っている。また、「ニュース」「新聞記事」の中の平易な内容を理解できる。一般的な社会的・抽象的素材を比較的正確に、流暢に理解し、使うことができる。よく使われる慣用表現や代表的な韓国文化に対する理解を基に、社会・文化的な内容を理解して使うことができる。

	5級	専門分野での研究や業務遂行に必要な言語能力をある程度持っている。「政治」「経済」「社会」「文化」全般に渡り、なじみのない素材に関しても理解して使うことができる。公式、非公式の脈絡や口語的、文語的脈絡によって言葉を適切に区別して使うことができる。
	6級	専門分野での研究や業務を比較的正確に、流暢に遂行できる言語能力を持っている。「政治」「経済」「社会」「文化」全般にわたり、なじみのないテーマに関しても展開することができる。ネーティブスピーカーのレベルには届かないが、意思疎通や意味表現には困難はない。

TOPIK Ⅰの評価範囲

本書のテーマであるTOPIK Ⅰがどのように変わったかについて、もう少し詳しく見ていきましょう。

「語彙・文法」「書き取り」の領域がなくなったことは、初級の受験者の皆さんにとってうれしいことかもしれませんが、厳密に言えば、なくなったのは「書き取り」だけで、「語彙・文法」は「読解」の中に一部含まれて出題されています。また、「聞き取り」と「読解」の問題を解くためには、当然語彙や文法の学習が必須となります。つまり、「語彙・文法」領域自体はなくなりましたが、「読解」や「聞き取り」の中で評価されていると理解する必要があります。

問題数と配点

次に、範囲別の問題数と配点について説明します。

従来の試験より評価領域が減ったため、問題数も大きく減りました。その分、新TOPIKでは、「読解」の試験問題が10問増え、「聞き取り」30問、「読解」40問の計70問が出題されます（従来の試験では「聞き取り」と「読解」は各30問）。

TOPIK Ⅰの「聞き取り」は30問のうち、1級レベルと2級レベルの問題が15問ずつ出題されます。1級の15問は、難易度別に「上」6問、「中」6問、「下」3問が出題され、100点満点のうち51点を占めます。2級の15問は、難易度別に「上」3問、「中」6問、「下」6問が出題され、100点満点のうち49点を占めます。また、問題ごとの配点は、20問が各3点、10問が各

4点となっています。

「読解」は40問のうち、1級レベルと2級レベルの問題が20問ずつ出題されます。1級の20問は、難易度別に「上」8問、「中」8問、「下」4問が出題され、100点満点のうち48点を占めます。2級の20問は難易度別に「上」4問、「中」8問、「下」8問が出題され、100点満点のうち52点を占めます。また、問題ごとの配点は、20問が各2点、20問が各3点となっています。

表3

名称	TOPIK 初級
評価領域	語彙・文法
	書き取り
	聞き取り
	読解

TOPIK I
聞き取り
読解

表4 TOPIK I 聞き取り

問題水準	難易度	問題数	配点計
1級	下	3	51
	中	6	
	上	6	
2級	下	6	49
	中	6	
	上	3	
合計		30	100

表5 TOPIK I 読解

問題水準	難易度	問題数	配点計
1級	下	4	48
	中	8	
	上	8	
2級	下	8	52
	中	8	
	上	4	
合計		40	100

なお、問題の解答は4者択一のマークシート記入方式で行います。試験で使用するペン（サインペン）は当日会場で配布されますが、誤って記入した箇所を修正するための修正テープは各自が準備しないといけません。

試験時間

TOPIK Ⅰの聞き取りと読解の試験時間は合計100分で、1時限、つまり休憩なしで行われます。

時間配分は、聞き取りが40分程度で、読解は60分程度になります。途中で休憩を挟んでいた以前の試験とは違い、休憩がなく、読解の問題数が10問多くなっているため、後半に集中力が続かなくなる可能性があります。100分間集中力を維持できるように、模擬試験を解く際には、時計をセットして実際の試験時間でやってみると良いでしょう。特に読解に時間がかかる学習者は、必ず時間配分の練習をする必要があります。

表7は、TOPIKの実施時間です。これは日本における実施時間で、他の国と地域では異なる時間帯に実施される場合があります。なお、TOPIK ⅠとTOPIK Ⅱは時間帯が異なるので、二つの試験を併願することも可能です。

表6

区分	時限	韓国・日本時間		
		入室時間	開始	終了
TOPIK I	1	9:30	10:00	11:40
TOPIK II	1	12:30	13:00	14:50
	2	15:10	15:20	16:30

評価判定

最後に、TOPIK Ⅰにおいて、受験者を1級と2級に振り分ける評価判定について見てみましょう。

従来の試験では、四つの領域のうち一領域だけでも基準点を下回ると、たとえ総合スコアが高くても、落第になりました。しかし新TOPIKでは、領域ごとの基準点がなくなり、総合点数に従って級が決定されます。TOPIK Ⅰの合格基準は表7の通りです。

表7

◆合格基準						
受験級	TOPIK I		TOPIK II			
級	**1級**	**2級**	**3級**	**4級**	**5級**	**6級**
合格点	80点以上	140点以上	120点以上	150点以上	190点以上	230点以上

なお、受験して得たTOPIKのスコアは、結果発表日から2年間有効です。

以上が新TOPIKについての説明です。実質的に、時間と問題数が変わっただけで、従来のTOPIKと大きく変わったことはないので、過剰な心配は不要です。皆さんがまずすべきことは、何よりも新しいTOPIKに慣れることです。限られた試験時間の中で集中力を維持し、うまくペース配分することも必要です。この本には、模擬試験が3回分収められているので、問題と時間配分に慣れるよう練習してみてください。一生懸命練習すれば、必ず良い成績が皆さんを待っています。

十分に準備を行い、試験でベストを尽くしましょう！　화이팅！

日本でのTOPIKの申し込み方法

日本でのTOPIKは公益財団法人韓国教育財団が主管しており、同財団のホームページに設けられた韓国語能力試験日本公式サイトに、日本での試験日程、試験会場、詳しい申し込み方法が日本語で案内されています。

受験資格として求められるものは特になく、過去にTOPIKを受けたことがない人でも、中・上級に当たるTOPIK IIを受けることができます。試験時間はP.12の表6で示したとおり、TOPIK Iが午前、TOPIK IIが午後の実施となっており、二つの試験を併願することも可能です。

願書は、下記の日本公式サイトよりダウンロード、または郵送で入手可能で、オンラインのフォームで提出することもできます。受験料の支払いは、銀行振り込み、クレジットカード、コンビニ窓口・店頭端末払いが可能です。出願時には受験者の顔写真の提出が求められます。詳しくは下記サイトでご確認ください。

韓国語能力試験日本公式サイト

http://www.kref.or.jp/examination

TOPIK Ⅰの
問題パターンと練習

試験の流れと問題パターン

TOPIK Ⅰの問題形式は毎回同じものに統一されています。ここでは、実際の試験を模した問題を見ながら、問題パターンについて確認してみましょう。

※問題の中で太字になっている部分は、実際の試験では音声で流される箇所です。選択肢番号中、正解に該当するものは黒く色塗りしています。また、「☞」に続いて示されたパターン番号はP.43~65の「問題パターン別練習」の内容とリンクしています。

듣기 (1번 ~ 30번)

※ [1~4] 다음을 듣고 〈보기〉와 같이 물음에 맞는 대답을 고르십시오.

〈보기〉

가 : 공부를 해요?

나 : ____________________

❶ 네, 공부를 해요.
② 아니요, 공부예요.
③ 네, 공부가 아니에요.
④ 아니요, 공부를 좋아해요.

1. (4점)

남자 : 저것이 책상이에요?

여자 : ____________________

❶ 네, 책상이에요. ② 네, 책상이 없어요.
③ 아니요, 책상이 커요. ④ 아니요, 책상이 많아요.

2. (4점)

여자 : 영화가 재미있어요?

듣기 (聞き取り)
TOPIK Ⅰの聞き取り問題は全30問。これを約40分で解いていく。音声はゆっくりめで、2回読み上げられる。

質問に対する適切な答えを選ぶ問題
短い質問が読み上げられるので、それに対する適切な答えを選ぶ。最初に出題例として音声が流れ、その後問題に入る。問題1から4までの計4問で、それぞれの設問内容にはパターンがある。

네 (はい) または아니요 (いいえ) で答える問題
☞パターン1

남자 : ____________________

① 네, 영화예요. ❷ 네, 영화가 재미있어요.
③ 아니요, 영화를 봐요. ④ 아니요, 영화를 좋아해요.

3. (3점)

疑問詞を使った問いに対して答える問題
☞パターン1

여자 : 무슨 선물을 받았어요?
남자 : ____________________

① 선물을 받았어요. ❷ 시계를 받았어요.
③ 친구한테서 받았어요. ④ 지난 주말에 받았어요.

4. (3점)

남자 : 영화가 몇 시에 시작해요?
여자 : ____________________

❶ 다섯 시요. ② 5층에 있어요.
③ 다섯 시간 걸려요. ④ 5분 후에 끝나요.

※ [5~6] 다음을 듣고 〈보기〉와 같이 다음 말에 이어지는 것을 고르십시오. (각 3점)

相手の言葉に対する適切な返答を選ぶ問題
相手の言葉に対して、そのすぐ次に続く答えを選ぶ。最初に出題例として音声が流れ、その後問題に入る。問題5と6の計2問で、それぞれの設問内容にはパターンがある。

〈보기〉
가 : 맛있게 드세요.
나 : ____________________

① 좋겠습니다. ② 모르겠습니다.
③ 잘 지냈습니다. ❹ 잘 먹겠습니다.

5. (4점)

日常会話で起こり得るやりとり ☞パターン2

여자 : 휴대전화 좀 빌려 주실래요?
남자 : ____________________

❶ 네, 여기 있습니다.
② 네, 전화를 합니다.
③ 네, 휴대전화가 있습니다.
④ 네, 여기에서 빌릴 수 있습니다.

6. (3점)

남자 : 좋은 꿈 꾸고 잘 자요.
여자 : ________________

① 네, 반갑습니다.　② 네, 안녕하세요.
③ 네, 잘 지냈어요.　❹ 네, 안녕히 주무세요.

あいさつやお礼など定型表現のやりとり　☞パターン2

※ [7~10] 여기는 어디입니까? 〈보기〉와 같이 알맞은 것을 고르십시오.

〈보기〉
가 : 어디가 아프세요?
나 : 배가 아파요.
① 가게　② 빵집　❸ 병원　④ 시장

会話が行われている場所を選ぶ問題　☞パターン3
日常生活に関連した場所を背景にした会話が提示され、その場所がどこかを選ぶ。最初に出題例として音声が流れ、その後問題に入る。問題7から10までの計4問。

7. (3점)

남자 : 어떻게 해 드릴까요?
여자 : 요즘 유행하는 스타일로 잘라 주세요.

① 식당　② 극장　❸ 미용실　④ 커피숍

8. (3점)

여자 : 오랜만에 운동하니까 정말 힘드네요.
남자 : 여기 의자에서 잠시 쉴까요?

① 병원　❷ 공원　③ 도서관　④ 백화점

9. (3점)

여자 : 조금 전에 지갑을 주웠어요.

남자 : 어디에서 주웠습니까?

① 주유소 ② 꽃집 ③ 공원 ❹ 경찰서

10. (4점)

여자 : 서울역으로 가는 표 한 장 주세요.

남자 : 네, 만 5천 원입니다.

① 학교 ② 약국 ❸ 기차역 ④ 편의점

※ [11~14] 다음은 무엇에 대해 말하고 있습니까? <보기>와 같이 알맞은 것을 고르십시오.

<보기>
가 : 누구예요?
나 : 이 사람은 형이고, 이 사람은 동생이에요.
❶ 가족 ② 이름 ③ 고향 ④ 소포

11. (3점)

여자 : 마이클 씨는 어디에서 왔습니까?

남자 : 저는 미국에서 왔습니다.

❶ 나라 ② 시간 ③ 예정 ④ 방학

12. (3점)

남자 : 일요일에 보통 무엇을 해요?

여자 : 집안일도 하고 토요일에는 여행도 가끔 갑니다.

① 날씨 ② 직업 ❸ 주말 ④ 약속

会話の話題を選ぶ問題

☞パターン4

男女の会話を聞き、何について話しているかを把握して選ぶ。会話では男女が1度ずつ発話する。問題11から14までの計4問。

13. (4점)

남자 : 처음 뵙겠습니다. 김민수입니다.

여자 : 만나서 반갑습니다.

① 가족　　② 장소　　③ 주소　　❹ 소개

14. (3점)

여자 : 내일 동생 생일이라서 전자사전을 샀어요.

남자 : 동생이 정말 좋아하겠네요.

❶ 선물　　② 취미　　③ 가격　　④ 계획

※ [15~16] 다음 대화를 듣고 알맞은 그림을 고르십시오. (각 4점)

会話の場面を適切に描いた絵を選ぶ問題

☞パターン5

男女の会話を聞き、その状況を描いた絵として最も適切なものを選ぶ。会話では男女が1度ずつ発話する。問題15と16の計2問。

15.

남자 : 이 액자 어디에 둘까요?

여자 : 저기 책꽂이 왼쪽에 놓아 주세요.

①

②

❸

④

16.

여자 : 바지가 좀 길어서요. 여기까지만 줄여 주세요.

남자 : 네, 3일 후에 찾으러 오세요.

①

❷

③

④

※ [17~21] 다음을 듣고 〈보기〉와 같이 대화 내용과 같은 것을 고르십시오. (각 3점)

〈보기〉
남자 : 요즘 한국어를 공부해요? 여자 : 네, 한국 친구한테서 한국어를 배워요. ① 남자는 학생입니다. ② 여자는 학교에 다닙니다. ③ 남자는 한국어를 가르칩니다. ❹ 여자는 한국어를 공부합니다.

会話の内容に一致する文を選ぶ問題 (例あり)

☞パターン6

男女の会話を聞き、会話の内容に一致する文を選ぶ。最初に出題例として音声が流れ、その後問題に入る。問題17から21までの計5問。会話のやりとりが問題を追うごとに長くなる。男女が1度ずつ発話して1往復とすると、問題17は1往復、問題18は1.5往復、問題19は2往復、問題20と21は3往復である。

17.

여자 : 바쁘지 않으면 극장 앞에서 내려 주시겠어요?

남자 : 그럼요. 같은 방향이니까 어서 타세요.

① 남자는 지금 바쁩니다.

② 여자는 지금 차 안에 있습니다.

③ 남자는 극장 앞에서 내릴 겁니다.

❹ 여자는 남자에게 부탁하고 있습니다.

18.

남자 : 주말에 미나 씨 집들이에 가려고 하는데 무슨 선물이 좋을까요?

여자 : 미나 씨는 꽃을 좋아하니까 꽃을 사 가는 게 어때요?

남자 : 제 생각에도 그게 좋겠네요. 그럼 내일 5시에 집 앞으로 갈게요. 같이 꽃집에 가요.

① 남자는 집들이에 가지 못합니다.
② 여자는 집들이 선물을 안 살 겁니다.
❸ 여자는 남자와 같이 꽃집에 갈 겁니다.
④ 남자는 여자와 다른 선물을 사려고 합니다.

19.

여자 : 손님, 2만 5천 원입니다. 이 셔츠는 포장해 드릴까요?

남자 : 아니요. 괜찮습니다. 제가 입을 거예요. 여기 카드로 결제해 주세요.

여자 : 죄송하지만 이 셔츠는 세일 상품이라서 신용 카드로 결제하실 수 없습니다.

남자 : 그럼 현금으로 낼게요. 여기 있습니다.

① 남자는 셔츠를 포장했습니다.
❷ 남자는 지금 옷 가게에 있습니다.
③ 여자는 신용 카드로 결제했습니다.
④ 여자는 세일 중인 셔츠를 샀습니다.

20.

남자 : 제주 호텔입니다. 무엇을 도와드릴까요?

여자 : 안녕하세요. 방을 하나 예약하고 싶은데요. 9월 3일부터 6일까지요.

남자 : 네, 예약 가능한 방이 있습니다. 몇 분이 오

십니까?

여자 : 저 혼자 쓸 거예요.

남자 : 성함하고 전화번호를 알려 주시면 손님께서 요청하신 날짜에 예약해 드리겠습니다.

여자 : 제 이름은 김나영이고, 전화번호는 010-1234-5678입니다.

① 남자는 혼자 방을 쓸 겁니다.
❷ 여자는 9월 3일에 호텔에 올 겁니다.
③ 남자는 요청한 날짜에 예약을 하지 못합니다.
④ 여자는 남자에게 이름과 전화번호를 물었습니다.

21.

여자 : 노트북을 사려고 왔는데요. 요즘 어떤 노트북이 잘 팔려요?

남자 : 이 상품이 잘 나가요. 디자인도 예쁘고 색상도 다양해서 여성 분들에게 인기가 많아요.

여자 : 그런데 좀 무겁네요. 전 휴대하기 편리한 노트북을 찾고 있어요.

남자 : 가벼운 노트북은 가격이 좀 비싼데 괜찮으세요?

여자 : 네, 괜찮아요.

남자 : 그럼 잠시만 기다리세요. 보여 드릴게요.

① 남자는 노트북을 사러 왔습니다.
② 여자는 디자인이 예쁜 노트북을 찾고 있습니다.
③ 남자는 휴대하기 편리한 노트북을 추천했습니다.
❹ 여자는 남자가 추천한 노트북이 마음에 안 듭니다.

※ [22~24] 다음을 듣고 대화 내용과 같은 것을 고르십시오. (각 3점)

会話の内容に一致する文を選ぶ問題（例なし）
☞パターン6

22.

남자 : 안녕하세요. 할인 카드를 만들러 왔습니다.

여자 : 여기에 이름과 주소 그리고 전화번호를 적어 주세요. 일주일 안에 10만 원 이상 구매하신 영수증을 가져오시면 5% 할인 쿠폰을 드립니다.

남자 : 오늘 10만 원 이상 샀는데 오늘은 안 되나요? 지금 영수증 드릴게요.

여자 : 가능합니다. 영수증을 주세요. 카드와 할인 쿠폰도 드리겠습니다.

① 여자는 할인 카드를 만들려고 합니다.

② 여자는 오늘 10만 원 이상 구매했습니다.

③ 남자는 물건을 구매한 영수증이 없습니다.

❹ 남자는 5% 할인 쿠폰을 받을 수 있습니다.

男女の会話を聞き、会話の内容に一致する文を選ぶ。出題例がなく、すぐに問題が始まるので、問題21を終えたらすぐに選択肢の確認をする必要がある。問題22から24までの計3問。会話はいずれも2往復である。

23.

남자 : 저녁에 시간이 좀 있어서 영어 강좌를 등록했어요.

여자 : 그래요? 저도 관심이 있어 생각하고 있었어요. 아직 신청은 안 했지만요.

남자 : 수강하려면 서두르세요. 등록 마감일은 이번 주 금요일까지예요.

여자 : 그럼 퇴근 후에 바로 집에 가서 신청서를 작성해야겠어요.

① 여자는 영어 강좌를 등록했습니다.

❷ 여자는 영어 수업을 들을 예정입니다.

③ 남자는 퇴근 후에 바로 집으로 갈 겁니다.

④ 남자는 이번 주 금요일까지 신청서를 작성해야 합니다.

24.

여자 : 안녕하세요. 커피 한 잔하고 녹차 한 잔 주세요. 그리고 치즈 케이크도 하나 주세요.

남자 : 커피와 녹차는 어떤 사이즈로 드릴까요? 작은 잔, 중간 잔 그리고 큰 잔이 있습니다.

여자 : 중간 잔으로 주세요. 아니요, 잠깐만요. 큰 잔으로 주세요. 그리고 가져갈 거니까 포장해 주세요.

남자 : 알겠습니다. 모두 만 5천 원입니다.

❶ 여자는 큰 잔으로 주문했습니다.

② 여자는 커피숍에서 마시고 갈 겁니다.

③ 남자는 모두 만 5천 원을 내야 합니다.

④ 남자는 커피와 녹차, 케이크를 주문했습니다.

※[25~26] 다음을 듣고 물음에 답하십시오.

放送音声の聞き取り
長めの公共放送音声を聞き、2種類の問題に答える。出題されるのは、趣旨を把握する問題と内容に一致する文を選ぶ問題である。問題25と26の計2問。

여자 : 날씨입니다. 금요일인 내일은 오전부터 많은 비가 내리겠습니다. 밖에 나가실 때 우산을 꼭 준비하시기 바랍니다. 기온도 많이 내려가서 춥겠습니다. 따뜻한 옷으로 입고 나가시는 것이 좋겠습니다. 비는 모레까지 계속되고 이번 주 주말부터 점차 따뜻해지겠습니다.

25. 어떤 이야기를 하고 있는지 고르십시오. (3점)

① 경고　❷ 예보　③ 감사　④ 초대

放送の趣旨を選ぶ問題
☞パターン4

26. 들은 내용과 같은 것을 고르십시오. (4점)

① 내일은 토요일입니다.

放送の内容に一致する文を選ぶ問題　☞パターン6

② 내일 오전에는 맑겠습니다.

❸ 모레까지 비가 내리고 춥겠습니다.

④ 이번 주 주말까지 따뜻하겠습니다.

※ [27~28] 다음을 듣고 물음에 답하십시오.

会話の聞き取り（知人同士の会話）
知人同士が行う長めの会話を聞き、２種類の問題に答える。出題されるのは、話題を把握する問題と内容に一致する文を選ぶ問題である。問題27と28の計２問。

남자 : 오늘 본 영화 어땠어요?

여자 : 전 솔직히 말하면 별로였어요. 내용이 너무 예측 가능해서 보는 동안 지루해서 계속 졸았어요.

남자 : 그래요? 저는 재미있었어요. 배우들의 액션 연기도 훌륭하고 특수 효과도 놀라웠어요.

여자 : 글쎄요. 제 생각에는 특수 효과보다는 영화 시나리오에 좀 더 집중을 해서 만들었으면 더 좋은 영화가 만들어졌을 것 같아요.

27. 두 사람이 무엇에 대해 이야기하고 있는지 고르십시오. (3점)

会話の話題を選ぶ問題
☞パターン4

① 보고 싶은 영화

② 액션 영화의 장점

③ 좋은 영화 만드는 방법

❹ 영화를 보고 난 후 느낌

28. 들은 내용과 같은 것을 고르십시오. (4점)

会話の内容に一致する文を選ぶ問題 ☞パターン6

❶ 여자는 영화가 너무 지루했습니다.

② 남자는 이 영화가 별로 좋지 않았습니다.

③ 남자는 더 좋은 시나리오가 필요하다고 생각합니다.

④ 여자는 액션과 특수 효과가 나오는 영화를 좋아

합니다.

※ [29~30] 다음을 듣고 물음에 답하십시오.

여자 : 얼마 전에 휴대전화를 샀는데 휴대전화가 자꾸 꺼져요. 새것으로 교환하고 싶어요.
남자 : 휴대전화를 언제 구매하셨습니까?
여자 : 한 달 전에요.
남자 : 잠시만 기다리세요. 휴대전화를 확인해 보고 문제가 있으면 새것으로 교환해 드릴게요.
여자 : 네, 알겠습니다.
(수리하는 소리)
남자 : 고객님, 많이 기다리셨습니다. 새것으로 교환해 드리겠습니다. 여기 있습니다.

会話の聞き取り (事務的な会話)
長めの事務的な会話を聞き、2種類の問題に答える。出題されるのは、目的を把握する問題と内容に一致する文を選ぶ問題である。問題29と30の計2問。

29. 여자는 지금 왜 여기에 왔습니까? (3점)
① 휴대전화를 사려고
② 휴대전화를 고치려고
❸ 휴대전화를 바꾸려고
④ 휴대전화를 찾아가려고

訪れた人の目的を選ぶ問題
☞パターン4

30. 들은 내용과 같은 것을 고르십시오. (4점)
❶ 여자는 휴대전화가 고장이 났습니다.
② 남자는 한 달 전에 휴대전화를 샀습니다.
③ 남자는 휴대전화를 교환하고 싶어 합니다.
④ 여자는 내일 휴대전화를 찾으러 올 겁니다.

会話の内容に一致する文を選ぶ問題　☞パターン6

읽기 (31번 ~ 70번)

※ [31~33] 다음은 무엇에 대한 이야기입니까? <보기>와 같이 알맞은 것을 고르십시오. (각 2점)

<보기>
덥습니다. 바다에서 수영합니다.
❶ 여름　② 날씨　③ 나이　④ 나라

31.

3월, 봄이 왔습니다. 두 달 전은 추운 겨울이었습니다.

① 날짜　❷ 계절　③ 약속　④ 날씨

32.

저는 아침은 꼭 먹습니다. 항상 빵과 우유를 먹습니다.

① 이름　② 요일　❸ 식사　④ 가족

33.

민호 씨는 우표 모으는 것을 좋아합니다. 모나카 씨는 동전 모으는 것을 좋아합니다.

❶ 취미　② 장소　③ 운동　④ 음식

읽기（読解）
TOPIK Iの読解問題は全40問。これを約60分で解いていく。

二つの文に共通する主題を選ぶ問題 ☞パターン7
提示された二つの文を読み、それらに共通している主題を選ぶ。問題31から33までの計3問。

※ [34~39] 〈보기〉와 같이 (　　)에 들어갈 제일 알맞은 것을 고르십시오.

空欄穴埋め問題
短い文章の中に設けられた空欄に入る単語を選ぶ。問題34から39までの計6問で、それぞれの設問内容にはパターンがある。

〈보기〉
날씨가 좋습니다. (　　　　)이 맑습니다.
① 눈　　② 밤　　❸ 하늘　　④ 구름

34. (2점)

요리 수업은 오후 2시(　　　　) 있어요.

① 로　　② 를　　❸ 에　　④ 에서

助詞を答える問題
☞パターン8

35. (2점)

한국어책을 사고 싶습니다. (　　　　)에 갑니다.

① 식당　　② 극장　　③ 공항　　❹ 서점

名詞を答える問題
☞パターン8

36. (2점)

지난 주말에 친구들과 여행을 갔습니다. 게임을 하며 재미있게 (　　　　).

❶ 놀았습니다　　② 먹었습니다
③ 요리했습니다　　④ 헤어졌습니다

動詞を答える問題
☞パターン8

37. (3점)

내일 기숙사로 들어갑니다. 책이 많아 짐이 아주 (　　　　).

① 가볍습니다　　② 더럽습니다
❸ 무겁습니다　　④ 어둡습니다

形容詞を答える問題
☞パターン8

38. (3점)

산에 불이 났습니다. (　　　　　) 119에 전화합시다.

① 가끔　　② 아까　　③ 거의　　❹ 빨리

副詞を答える問題
☞パターン8

39. (2점)

다음달에 한국으로 유학을 갑니다. 준비를 위해 회사를 (　　　　　).

① 세웠어요　　② 경영했어요

❸ 그만뒀어요　　④ 들어갔어요

直前の名詞と合わさって連語を作る動詞を答える問題
☞パターン8

※ [40~42] 다음을 읽고 맞지 <u>않는</u> 것을 고르십시오. (각 3점)

案内文や図表の内容に一致しない文を選ぶ問題
☞パターン10
案内文や図表などから情報を読み取り、内容に一致しないことを述べている文を選ぶ。問題40から42までの計3問。「一致しない」なので要注意。

40.

공기 좋은 숲으로 갑시다!

☺ 날짜 : 2014년 11월 1일(토) 아침 6시
☺ 모이는 곳 : 회사 정문
☺ 참가비 : 10,000원
☺ ☎ : 02)123−1234(담당자 김수현)
(단, 이번 야유회에서는 가족도 같이 갈 수 있습니다.)

한국회사

① 회사 앞에서 모입니다.

② 토요일 아침에 출발합니다.

❸ 아이들은 같이 갈 수 없습니다.

④ 야유회에 가려면 만 원을 내야 합니다.

41.

당신의 아름다움 위해
언제든지 환영합니다!

사전 상담
필수

＊ 요일 : 월요일 ~ 금요일
＊ 시간 : 오전 9시 30분~18시(점심시간 13시~14시)
＊ 예약 전화 : 02) 234-4567
(※ 예약하지 않으면 오래 기다릴 수 있습니다.)

① 점심시간은 한 시간입니다.
❷ 오후 1시 30분에 상담이 가능합니다.
③ 매주 토요일에는 상담을 받을 수 없습니다.
④ 오후 6시 이후에는 상담을 받을 수 없습니다.

42.

리듬과 꿈을 만드는 학원

리듬과 꿈을 만드는 곳, 깨끗한 환경,
능력 있는 선생님이 함께 하는 곳!

대상 : 초등학생~고등학생
수업 : 주 2회 2시간 (시간은 조정 가능)
교육 상담 : 02)867-4568(9:30~20:00)
친구와 함께 등록할 때는 할인해 줍니다.

베토벤 음악학원

① 어른들은 교육을 받을 수 없습니다.
❷ 오후 9시에 상담 받을 수 있습니다.
③ 일주일에 두 번 교육을 받을 수 있습니다.
④ 수업을 신청할 때 시간은 바꿀 수 있습니다.

※ [43~45] 다음의 내용과 같은 것을 고르십시오.

文章の内容に一致する文を選ぶ問題 ☞パターン11
三つの文からなる短い文章を読み、内容に一致する文を選ぶ。問題43から45までの計3問。

43. (3점)

지난 주말 야구장에 갔습니다. 저는 좋아하는 팀의 유니폼을 입고 갔습니다. 형은 좋아하는 선수의 사인공을 받았습니다.

❶ 지난 주말 야구를 보러 갔습니다.
② 저는 좋아하는 야구장에 갔습니다.
③ 저는 유니폼 입는 것을 좋아합니다.
④ 형은 좋아하는 야구팀의 공을 샀습니다.

44. (2점)

토요일에 학교 운동회가 있었습니다. 저는 반 대표로 달리기 경기에 나갔습니다. 무척 떨렸지만 열심히 달렸습니다.

① 저는 우리 반 반장입니다.
② 저는 가끔 운동회에 참석합니다.
❸ 저는 운동회 날 달리기를 했습니다.
④ 저는 떨려서 잘 달리지 못했습니다.

45. (3점)

매달 둘째 주 토요일에 한강 공원에 갑니다. 산책하시는 할아버지, 자전거를 타는 아빠와 아들이 있습니다. 또 한강에서는 배를 타는 연인도 있습니다.

① 할아버지는 자전거를 타십니다.
② 아빠와 아들은 배 위에 있습니다.
③ 연인들은 공원에서 산책을 합니다.
❹ 한 달에 한 번 토요일에 공원에 갑니다.

※ [46~48] 다음을 읽고 중심 생각을 고르십시오.

46. (3점)

저는 날씨가 좋으면 공원에 갑니다. 공원에 가서 산책합니다. 친구들과 대화하는 것보다 더 기분이 좋습니다.

❶ 저는 산책하는 것이 더 좋습니다.
② 저는 대화하는 것이 더 좋습니다.
③ 저는 공원에 가는 것을 좋아합니다.
④ 친구들은 공원에 가는 것을 좋아합니다.

47. (3점)

아버지는 부산에 직장이 있으셔서 월요일부터 금요일까지는 부산에 계십니다. 주말에만 집에 오십니다. 매일매일 아버지 얼굴을 봤으면 좋겠습니다.

① 저는 부산에 가고 싶습니다.
❷ 저는 아버지와 같이 살고 싶습니다.
③ 아버지는 주말에 부산에 갈 겁니다.
④ 아버지는 부산 직장에 있고 싶어 합니다.

48. (2점)

저는 지난주에 운전학원에 등록했습니다. 오늘 처음 운전을 배우러 갔는데 무척 떨려서 실수를 많이 했습니다. 그래서 내일은 좀 더 집중해서 운전할 겁니다.

文章の主題を選ぶ問題
☞パターン12
三つの文からなる短い文章を読み、書いた人の考えを把握して選ぶ。問題46から48までの計3問。

❶ 저는 운전을 잘 하고 싶습니다.
② 저는 운전이 무서워서 떨립니다.
③ 저는 내일 운전을 배우러 갈 겁니다.
④ 저는 운전학원에 첫 번째로 등록하고 싶습니다.

※ [49~50] 다음을 읽고 물음에 답하십시오. (각 2점)

長文読解
長文を読み、2種類の問題に答える。出題されるのは、穴埋め問題と内容に一致する文を選ぶ問題である。問題49と50の計2問。

요즘 (㉠) 케이크가 인기가 있습니다. 케이크를 만드는 가게에서는 먼저 생일인 손님의 얼굴 사진을 받습니다. 그리고 그 사진을 케이크 맨 위에 놓고 케이크를 만듭니다. 이 케이크를 받은 사람은 정말 특별한 선물이 될 것입니다.

49. ㉠에 들어갈 알맞은 말을 고르십시오.

穴埋め問題　☞パターン9

① 모양이 큰　　② 사진과 다른
❸ 사진이 들어간　　④ 그림과 비슷한

50. 이 글의 내용과 같은 것을 고르십시오.

文章の内容に一致する文を選ぶ問題　☞パターン11

① 여기는 사진을 찍는 곳입니다.
② 케이크를 만든 후에 사진을 받습니다.
③ 케이크 안에 사진을 넣고 케이크를 만듭니다.
❹ 요즘 사람들은 자기 사진이 들어간 케이크를 좋아합니다.

※ [51~52] 다음을 읽고 물음에 답하십시오.

저는 소나무 향기가 나는 보리밥을 좋아합니다. 보리밥을 먹을 때 입으로만 먹는 것이 아닙니다. 코로도 먹을 수 있습니다. 맛도 좋고 (㉠) 때문에 좋습니다. 그래서 소나무 향기를 맡으면서 보리밥을 먹을 때 기분이 더 좋습니다.

長文読解
長文を読み、2種類の問題に答える。出題されるのは、穴埋め問題と文章の主題を把握する問題である。問題51と52の計2問。

51. ㉠에 들어갈 알맞은 말을 고르십시오. (3점)

① 깨끗하기　　② 잘 들리기
③ 소화도 잘 되기　　❹ 좋은 냄새가 나기

穴埋め問題　☞パターン9

52. 무엇에 대한 이야기입니까? 알맞은 것을 고르십시오. (2점)

❶ 보리밥을 좋아하는 이유
② 보리밥을 자주 먹는 방법
③ 소나무 향기를 맡는 방법
④ 소나무 향기가 나는 이유

文章の主題を選ぶ問題
☞パターン12

※ [53~54] 다음을 읽고 물음에 답하십시오.

대부분의 도시에는 어린이 도서관이 있습니다. 그런데 요즘 아이들은 게임을 좋아해서 책을 잘 읽지 않습니다. 그래서 부모들은 주말마다 아이들과 함께 어린이 도서관에 갑니다. 그곳에서 다른 아이들과 함께 책을 읽게 합니다. 그러면 저절로 책

長文読解
長文を読み、2種類の問題に答える。出題されるのは、穴埋め問題と内容に一致する文を選ぶ問題である。問題53と54の計2問。

과 (㉠) 놀게 됩니다.

53. ㉠에 들어갈 알맞은 말을 고르십시오. (2점)

穴埋め問題 ☞パターン9

① 자면서 ② 게임하면서

❸ 친해지면서 ④ 이야기하면서

54. 이 글의 내용과 같은 것을 고르십시오. (3점)

文章の内容に一致する文を選ぶ問題 ☞パターン11

① 요즘 아이들은 책을 자주 읽습니다.

② 부모들은 아이들과 함께 게임을 합니다.

③ 요즘 어린이 도서관은 모든 도시에 있습니다.

❹ 부모들은 매주 주말에 어린이 도서관에 갑니다.

※ [55~56] 다음을 읽고 물음에 답하십시오.

書き置きメモ読解
長文を読み、2種類の問題に答える。出題されるのは、穴埋め問題と内容に一致する文を選ぶ問題である。問題55と56の計2問。

사랑하는 우리 딸! 요즘 아빠가 회사 일이 바빠서 우리 딸 얼굴을 못 보고 나와서 많이 슬퍼. 우리 딸도 고등학교 3학년이 되어 많이 힘들지? 힘들고 어렵지만 엄마·아빠가 항상 응원하고 있다. 알고 있지? 오늘 밤은 아빠가 일찍 퇴근해서 우리 딸 얼굴 보고 같이 밥 먹자. (㉠) 우리 딸 좋아하는 치킨 꼭 사 가지고 갈게. 오늘도 파이팅!

- 사랑하는 아빠가 -

55. ㉠에 들어갈 알맞은 말을 고르십시오. (2점)

穴埋め問題 ☞パターン9

① 그런데 ❷ 그리고

③ 그러나 ④ 그러면

56. 이 글의 내용과 같은 것을 고르십시오. (3점)

❶ 아빠는 저녁에 치킨을 살 겁니다.
② 아빠는 바빠서 늦게 퇴근할 겁니다.
③ 딸은 아빠가 퇴근할 때 자고 있었습니다.
④ 딸은 너무 바빠서 아빠 얼굴을 못 봅니다.

文章の内容に一致する文を選ぶ問題 ☞パターン11

※ [57~58] 다음을 순서대로 맞게 나열한 것을 고르십시오.

並べ替え問題
☞パターン13
与えられた四つの文を、適切な順番に並び替える。問題57と58の計2問。

57. (3점)

(가) 그런데 요즘은 휴대전화로 모르는 길도 찾을 수 있습니다.
(나) 여행 도중에 가끔 모르는 곳에 가면 길을 몰라서 힘듭니다.
(다) 저는 여행을 좋아해서 1년에 한두 번은 여행을 갑니다.
(라) 또 근처에 무엇이 있는지 알 수 있어서 여행하기 편합니다.

❶ (다)-(나)-(가)-(라)　② (다)-(나)-(라)-(가)
③ (다)-(가)-(라)-(나)　④ (다)-(라)-(나)-(가)

58. (2점)

(가) 아침을 일찍 먹고 여행 가방을 챙겨 버스를 탔습니다.
(나) 오늘은 우리 가족 모두 해외여행을 가는 날입니다.
(다) 그리고 출국 심사를 받고 비행기에 탑승했습니다.

(라) 공항에 도착해서 비행기 표의 좌석을 확인했습니다.

① (나)–(다)–(라)–(가)　② (나)–(라)–(다)–(가)
③ (나)–(라)–(가)–(다)　❹ (나)–(가)–(라)–(다)

※ [59~60] 다음을 읽고 물음에 답하십시오.

長文読解
長文を読み、2種類の問題に答える。出題されるのは、文を挿入する問題と内容に一致する文を選ぶ問題である。問題59と60の計2問。

지난 여름 방학에 제주도 옆에 있는 우도로 여행을 갔습니다. (㉠) 우도에서 바다 속을 볼 수 있는 잠수함인 배를 탔습니다. (㉡) 그 배는 창문이 모든 방향으로 되어 있었습니다. (㉢) 그리고 창문의 크기도 크고 넓었습니다. (㉣) 그래서 여러 가지 색의 아름다운 물고기를 잘 구경할 수 있었습니다.

59. 다음 문장이 들어갈 곳을 고르십시오. (2점)

文を挿入する問題
☞パターン14

왼쪽으로 가면 왼쪽을, 오른쪽으로 가면 오른쪽을 볼 수 있었습니다.

① ㉠　② ㉡　❸ ㉢　④ ㉣

60. 이 글의 내용과 같은 것을 고르십시오. (3점)

文章の内容に一致する文を選ぶ問題　☞パターン11

① 우도는 제주도에 있습니다.
❷ 잠수함에서 바다 속을 잘 볼 수 있습니다.
③ 잠수함을 타고 우도 옆 제주도로 갔습니다.
④ 잠수함의 창문은 한 방향으로 만들었습니다.

※[61~62] 다음을 읽고 물음에 답하십시오. (각 2점)

가을이 되면 사람들은 아름다운 단풍을 보려고 산에 갑니다. 숲 속 나무에 작은 다람쥐가 있는데 이들은 도토리나무 열매를 먹고 삽니다. 가끔 등산하는 사람들이 먹을 것을 가지고 다가가면 다람쥐들은 (㉠) 가까이 옵니다. 사람들은 가끔 나무에서 떨어진 도토리를 줍는데 겨울이 되면 다람쥐들의 먹이가 부족하기 때문에 많이 가져오지 말아야 합니다.

61. ㉠에 들어갈 알맞은 말을 고르십시오.

① 자면서 ② 다쳐서

③ 먹지 않고 ❹ 놀라지 않고

62. 이 글의 내용과 같은 것을 고르십시오.

① 사람들은 다람쥐를 보러 산에 갑니다.

② 등산하는 사람들은 다람쥐를 좋아합니다.

③ 다람쥐들은 사람들이 주는 것을 먹고 삽니다.

❹ 다람쥐들을 위해 도토리를 많이 가져오면 안 됩니다.

長文読解

長文を読み、2種類の問題に答える。出題されるのは、穴埋め問題と内容に一致する文を選ぶ問題である。問題61と62の計2問。

穴埋め問題 ☞パターン9

文章の内容に一致する文を選ぶ問題 ☞パターン11

※ [63~64] 다음을 읽고 물음에 답하십시오.

メール・SNSメッセージ読解
メールやSNSメッセージを読み、2種類の問題に答える。出題されるのは、文章を書いた意図を答える問題と内容に一致する文を選ぶ問題である。問題63と64の計2問。

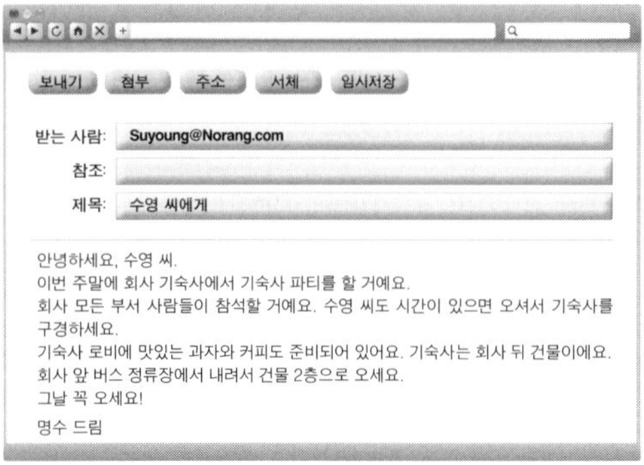
보내기 첨부 주소 서체 임시저장

받는 사람: Suyoung@Norang.com

참조:

제목: 수영 씨에게

안녕하세요, 수영 씨.
이번 주말에 회사 기숙사에서 기숙사 파티를 할 거예요.
회사 모든 부서 사람들이 참석할 거예요. 수영 씨도 시간이 있으면 오셔서 기숙사를 구경하세요.
기숙사 로비에 맛있는 과자와 커피도 준비되어 있어요. 기숙사는 회사 뒤 건물이에요.
회사 앞 버스 정류장에서 내려서 건물 2층으로 오세요.
그날 꼭 오세요!
명수 드림

63. 왜 이 글을 썼습니까? (2점)

❶ 기숙사 파티에 초대하기 위해서
② 기숙사 파티에 온 친구에게 감사해서
③ 기숙사 건물을 친구에게 알려 주기 위해서
④ 기숙사 파티를 하는 장소를 알려 주기 위해서

文章を書いた意図を選ぶ問題 ☞パターン12

64. 이 글의 내용과 같은 것을 고르십시오. (3점)

① 기숙사는 회사 앞에 있는 건물입니다.
❷ 이번 주말에 기숙사를 볼 수 있습니다.
③ 기숙사에 가려면 지하철을 타야 합니다.
④ 마시고 싶은 커피는 직접 가져와야 합니다.

文章の内容に一致する文を選ぶ問題 ☞パターン11

※ [65~66] 다음을 읽고 물음에 답하십시오.

長文読解
長文を読み、2種類の問題に答える。出題されるのは、穴埋め問題と内容に一致する文を選ぶ問題である。問題65と66の計2問。

손과 몸은 어떤 관계일까요? 손이 뜨거우면 몸도 뜨겁고 손이 차가우면 몸도 차갑습니다. 이렇듯 손과 몸은 같이 느낄 수 있습니다. 또 손으로 하는 것은 여러 가지 뜻이 있습니다. 서로 손을 잡고 인사를 하는 것은 서로 친하다는 의미이고 새끼손가락을 걸면 약속을 의미합니다. 박수를 치는 것은 칭찬의 의미입니다. 그래서 친구가 잘했을 때 (㉠)도 합니다.

65. ㉠에 들어갈 알맞은 말을 고르십시오. (2점)

穴埋め問題 ☞パターン9

① 손을 잡기 ② 손을 걸기
③ 손이 차갑기 ❹ 박수를 치기

66. 이 글의 내용과 같은 것을 고르십시오. (3점)

文章の内容に一致する文を選ぶ問題 ☞パターン11

① 손을 잡으면 약속하는 것입니다.
② 손이 뜨거우면 몸은 차갑습니다.
❸ 손과 몸이 느끼는 것은 같습니다.
④ 칭찬하고 싶을 때 서로 손을 잡습니다.

※ [67~68] 다음을 읽고 물음에 답하십시오. (각 3점)

長文読解
長文を読み、2種類の問題に答える。出題されるのはどちらも穴埋め問題である。問題67と68の計2問。

요즘 가구의 위치를 바꾸는 사람들이 많습니다. (㉠) 가구를 사지 않고 사용하고 있는 가구를 위치만 바꿔도 방의 분위기를 바꿀 수 있습니다. 방석이나 쿠션으로도 변화를 줄 수 있습니다. 여러분도 이번 봄에 거실에 있는 가구의 위치를 한번 (㉡).

67. ㉠에 알맞은 것을 고르십시오.

穴埋め問題 ☞パターン9

① 먼저 ② 주로
❸ 새로 ④ 계속

68. ㉡에 알맞은 것을 고르십시오.

❶ 바꿔 보세요 ② 바꿀 수 있어요

③ 바꾸고 싶어요 ④ 바꾸기로 했어요

穴埋め問題 ☞パターン9

※ [69~70] 다음을 읽고 물음에 답하십시오. (각 3점)

長文読解

長文を読み、2種類の問題に答える。出題されるのは、穴埋め問題と内容に一致する文を選ぶ問題である。問題69と70の計2問。

작년 크리스마스에 부모님과 함께 스키장에 놀러 갔습니다. 그런데 스키를 타다가 실수를 해서 넘어졌습니다. 나는 너무 아파서 (㉠) 힘들었습니다. 그때 스키장 직원이 한의원에 가서 침을 맞으면 빨리 나을 수 있다고 했습니다. 그래서 부모님과 함께 스키장 근처에 있는 한의원에 가서 침을 맞으니까 신기하게도 약을 먹은 것보다도 더 아프지 않았습니다.

69. ㉠에 들어갈 알맞은 말을 고르십시오.

① 침을 맞기도 ❷ 혼자 걷기도

③ 놀러 가기도 ④ 직원을 만나기도

穴埋め問題 ☞パターン9

70. 이 글의 내용으로 알 수 있는 것은 무엇입니까?

① 나는 침 맞는 것을 아주 싫어합니다.

② 스키장 직원은 침 맞는 것을 좋아합니다.

❸ 침은 약보다 더 빨리 치료할 수 있습니다.

④ 사람들은 스키를 타다가 자주 넘어집니다.

文章の内容に一致する文を選ぶ問題 ☞パターン11

問題パターン別練習

ここまでTOPIK Ⅰの問題形式を見てきましたが、次に、そのパターン別の問題を実際に解いてみましょう。各パターンの見出しの右にある問題番号は、実際の試験での問題番号を示しています。聞き取り問題は付録のCDに音声を収めてあります（TR01〜10）。

聞き取り

パターン1　質問に対する答えを選ぶ問題

☞ 問題1〜4

いわゆる「yes/no疑問文」を使った問いに対して**네**（はい）または**아니요**（いいえ）で答える問題と、疑問詞を使った問いに対して答える問題が、それぞれ2問ずつ出題されます。

다음을 듣고 물음에 맞는 대답을 고르십시오.

TR 01

1) ① 네, 문제예요.　② 네, 문제가 있어요.
③ 아니요, 문제가 좋아요.　④ 아니요, 문제가 어려워요.

TR 02

2) ① 작년에 왔어요.　② 동생하고 왔어요.
③ 비행기로 왔어요.　④ 미국에서 왔어요.

■ **スクリプト・解答・解説**

1) **여자: 이 문제가 쉬워요?**
正解は④。問題が簡単なら**네, 쉬워요**（はい、簡単です）になる。そうでなかったら**아니요, 어려워요**（いいえ、難しいです）になる。

女：この問題は簡単ですか?

①はい、問題です。　②はい、問題があります。

③いいえ、問題がいいです。　④いいえ、問題が難しいです。

2) 여자: 언제 한국에 왔어요?

正解は①。언제（いつ）という疑問詞があるので、具体的な時期を示す選択肢を選べば良い。

女：いつ韓国に来ましたか?

①去年来ました。②弟（妹）と来ました。③飛行機で来ました。④アメリカから来ました。

パターン2 相手の言葉に対する返答を選ぶ問題 ☞ 問題5、6

日常会話でのやりとりを想定して答える問題と、あいさつやお礼などの定型表現のやりとりを想定して答える問題が、それぞれ1問ずつ出題されます。

다음을 듣고 다음 말에 이어지는 것을 고르십시오.

TR 03

3) ① 잘 부탁합니다. ② 안녕히 계세요.
③ 다음에 만납시다. ④ 잠시만 기다리세요.

■ スクリプト・解答・解説

3) 여자: 여보세요. 김 선생님 계십니까?
正解は④。**여보세요**（もしもし）と言っていることから、電話をしていることが分かる。電話で**계십니까?**（いらっしゃいますか?）と聞いたので、④**잠시만 기다리세요**（少々お待ちください）が正解である。

女：もしもし。キム先生いらっしゃいますか?
①よろしくお願いします。 ②さようなら。
③次に会いましょう。 ④少々お待ちください。

パターン3　場所を選ぶ問題

☞ 問題7～10

会話の内容から、会話が行われている場所を把握して答える問題が4問出題されます。

여기는 어디입니까? 알맞은 것을 고르십시오.

4) ① 식당　　② 꽃집
③ 도서관　　④ 백화점

5) ① 회사　　② 교실
③ 영화관　　④ 주차장

■スクリプト・解答・解説

4) 여자: 이 책 반납하려고 하는데요.
남자: 저기 책꽂이에 넣어 주세요.
正解は③。**책**（本）と**반납하려고**（返しに）を聞き取る必要がある。**반납하다**（返す）は［**반나파다**］と激音化することに注意。

> 女：この本を返しに来たんですが。
> 男：あちらの本棚に入れてください。
> ①食堂　②花屋　③図書館　④デパート

5) 남자: 회의는 오후 3시에 시작하겠습니다.
여자: 네, 준비하겠습니다.
正解は①。**회의**（会議）が聞き取れれば、選択肢の中で会議を行う場所としては①**회사**（会社）が最も妥当であることが分かる。**회의**の発音が［**회이**］となることに注意。

男：会議は午後3時に始めます。
女：はい、準備しておきます。
①会社　②教室　③映画館　④駐車場

「場所を選ぶ問題」でよく使われる語彙

「場所を選ぶ問題」でよく使われる語彙をまとめました。分からないものがあったら、必ず覚えるようにしましょう。表記と発音が異なるものには、[　]内に実際の発音を示しました。

■場所

□병원　病院
□가게　店
□백화점 [배콰점]　デパート
□식당 [식땅]　食堂、レストラン
□미용실　美容室
□우체국　郵便局
□영화관　映画館
□대학교 [대학꾜]　大学
□교실　教室
□약국 [약꾹]　薬局
□슈퍼마켓　スーパー
□편의점 [펴니점]　コンビニ
□서점　書店
□은행 [으냉]　銀行
□극장 [극짱]　劇場／映画館
□박물관 [방물관]　博物館
□학교 [학꾜]　学校

■交通手段、交通手段と関連がある場所

□버스　バス
□택시 [택씨]　タクシー
□버스 터미널　バスターミナル
□주유소　ガソリンスタンド
□지하철역 [지하철력]　地下鉄の駅
□지하철　地下鉄
□공항　空港
□정거장　停留所
□기차역　汽車駅

パターン4 話題を選ぶ問題

☞ 問題11〜14、25、27、29

音声の内容を全体的に把握して、何について話しているかを答える問題です。二人の男女が1回ずつ話す会話を聞いて答える問題が4問と、放送音声や長い会話を聞いて答える問題が3問出題されます。

6) 다음은 무엇에 대해 말하고 있습니까? 알맞은 것을 고르십시오.

TR 06

① 운동　　② 여행
③ 건강　　④ 날씨

TR 07

7) 두 사람이 무엇에 대해 이야기하고 있는지 고르십시오.

① 방학 계획　　② 좋아하는 운동
③ 취직하는 이유　　④ 외국어를 공부하는 방법

■スクリプト・解答・解説

6) 남자: 이번 주말에 제주도에 놀러 갈래요?
여자: 제주도는 갔다 왔어요. 부산에 가요.
正解は②。**놀러 갈래요?**（遊びに行きませんか?）という表現と、**제주도**（済州島）や**부산**（釜山）という地名が聞き取れれば、②**여행**（旅行）の話をしていることが分かる。**갈래요?**（行きませんか?）などの形に耳を慣らしておく必要がある。

> 男：今度の週末、済州島へ遊びに行きませんか?
> 女：済州島は行ってきました。釜山へ行きましょう。
> ①運動　②旅行　③健康　④天気

7) 남자: 준코 씨, 내일부터 방학인데 뭐 할 거예요?
여자: 전 작년부터 수영을 배우고 싶었는데 시간이 없어서 못 배웠어요. 그래서 수영을 배우러 다닐 거예요. 민수 씨는요?
남자: 전 중국어를 공부하려고요. 다른 나라 말에 관심도 많고 요즘 회사에 취직하려면 외국어 성적이 있어야 돼요.
여자: 저도 중국어를 배우고 싶어요. 저하고 같이 배워요.

正解は①。一番最初に방학인데 뭐 할 거예요? (学期休みですが、何をしますか?)とあるので、計画について話していることが分かる。-(으)ㄹ 거の거は必ず [꺼] と濃音化するので、[꺼에요] の音を聞き取ることが重要。

男：ジュンコさん、明日から学期休みですが、何をしますか?
女：私は去年から水泳を習いたかったのですが、時間がなくて習えませんでした。それで水泳を習いに行きます。ミンスさんは?
男：僕は中国語を勉強しようと思います。他の国の言葉に興味もたくさんあるし、最近は会社に就職しようとすると、外国語の成績がないといけませんから。
女：私も中国語を習いたいです。私と一緒に習いましょう。
①学期休みの計画 ②好きな運動 ③就職する理由 ④外国語を勉強する方法

パターン5 絵を選ぶ問題

☞ 問題15、16

会話が行われている場面を適切に描いた絵を選ぶ問題が2問出題されます。

다음 대화를 듣고 알맞은 그림을 고르십시오.

TR 08

8) ①

②

③

④

■スクリプト・解答・解説

8) 남자: 이 소파는 어디에 놓을까요?
여자: 저기 탁자 옆에 놓으세요.
正解は①。女性が**저기 탁자 옆**(あそこのテーブルの横)と言っているので、離れたところにあるテーブルを指差している①が正解である。

男：このソファーはどこに置きましょうか?
女：あそこのテーブルの横に置いてください。

パターン6 会話（放送）の内容に一致する文を選ぶ問題

☞ 問題17〜24、26、28、30

音声の内容に一致する選択肢を選ぶ問題が11問出題されます。

다음을 듣고 대화 내용과 같은 것을 고르십시오.

TR 09

9) ① 남자는 일찍 도착했습니다.
② 여자는 오래 기다렸습니다.
③ 여자는 차가 많이 막혔습니다.
④ 남자는 약속 시간에 늦었습니다.

TR 10

10) ① 한 달에 한 번 댄스 대회에 참가합니다.
② 춤을 못 추는 사람은 가입할 수 없습니다.
③ 육 개월에 한 번씩 모여서 춤을 연습합니다.
④ 가입하고 싶은 사람은 전화를 하면 됩니다.

■ スクリプト・解答・解説

9) 남자: 늦어서 미안해요. 차가 많이 막혀서 좀 늦었어요.
여자: 괜찮아요. 저도 방금 도착했어요.
正解は④。男性の늦어서 미안해요（遅れてすみません）という発言から、男性が約束の時間に遅れたことが分かる。

男：遅れてすみません。車がとても混んでいて、遅れました。
女：大丈夫です。私もたった今、到着しました。

①男性は早く到着しました。
②女性は長い間待ちました。
③女性は車がとても混んでいました。
④男性は約束の時間に遅れました。

10) 남자: 안녕하세요? 댄스 동호회 회장 김민수입니다. 저희 댄스 동호회에서는 한 달에 한 번씩 모여서 춤 연습을 합니다. 그리고 육 개월마다 댄스 대회에 참가합니다. 춤을 좋아하는 사람이면 누구나 가입할 수 있습니다. 그리고 춤을 잘 추지 못하는 사람도 금방 춤을 배울 수 있습니다. 가입을 하고 싶으신 분은 010-1234-5678로 전화해 주세요. 감사합니다.

正解は④。가입을 하고 싶으신 분은（加入をしたい人=入会したい人は）、전화해 주세요（電話してください）と言っているので、④が正解である。가입을[가이블]や싶으신[시프신]などの形の聞き取りにも慣れておく必要がある。

男：こんにちは。ダンス同好会会長、キム・ミンスです。私たちのダンス同好会では、1カ月に1回ずつ集まって、ダンスの練習をします。そして6カ月ごとにダンス大会に参加します。ダンスが好きな人なら、誰でも入会することができます。そして、ダンスがうまくできない人も、すぐにダンスを習うことができます。入会されたい方は、010-1234-5678にで電話してください。ありがとうございます。

①1カ月に1回、ダンス大会に参加します。
②ダンスができない人は、入会できません。
③6カ月に1回ずつ集まって、ダンスを練習します。
④入会したい人は電話すれば良いです。

読解

パターン7　共通する主題を選ぶ問題

☞ 問題31~33

二つの文に共通する主題を選ぶ問題が3問出題されます。

다음은 무엇에 대한 이야기입니까? 알맞은 것을 고르십시오.

11)

이곳은 아침 9시입니다. 서울은 지금 밤 8시입니다.

① 날씨　　② 나이　　③ 시간　　④ 날짜

■解答・解説

11) 正解は③。**아침 9시**（朝9時）と**밤 8시**（夜8時）はどちらも時間である。助数詞の**시**（~時）を読み取ることが重要。従って、③**시간**（時間）が正解である。

ここは朝9時です。ソウルは今、夜8時です。
①天気　③年齢　③時間　④日にち

パターン8 穴埋め問題1

☞ 問題34〜39

(　　)に入る単語を答える問題が6問出題されます。助詞(34番)、名詞(35番)、動詞(36番)、形容詞(37番)、副詞(38番)、連語を作る動詞(39番)という順番になっています。

(　　)에 들어갈 제일 알맞은 것을 고르십시오.

12)

은행(　　) 돈을 찾아요.

① 에　　② 에서　　③ 에게　　④ 으로

13)

책을 삽니다. (　　)에 갑니다.

① 서점　　② 약국　　③ 시장　　④ 병원

14)

우산을 샀어요. 그런데 갑자기 비가 (　　).

① 봤어요　　② 터졌어요　　③ 그쳤어요　　④ 터뜨렸어요

■解答・解説

12) 正解は②。**돈을 찾아요**(お金を下ろします)という表現が分かれば、(　　)の前の**은행**(銀行)が動作を行う場所であることが分かる。動作を行う場所を表す助詞は②**에서**(で)である。①**에**(に)も場所を表すことがあるが、**학교에 있다**(学校にいる)のような主体の存在場所や、**학교에 가다**(学校に行く)のような移動

地点を主に表し、動作を行う場所を表すことはまれである。

銀行（　）お金を下ろします。
①に　③（場所）で　③に　④（道具・手段）で

13）正解は①。책을 삽니다（本を買います）という部分から、서점（本屋）に行くことが分かる。

本を買います。（　　　）へ行きます。
①本屋　②薬局　③市場　④病院

14）正解は③。2文目の그런데（ところが）という接続詞から、1文目の우산을 샀어요（傘を買いました）に反する内容が来ることが分かるので、비가 그치다（雨がやむ）という連語が正解である。他の動詞は、비（雨）とは連語を作らない。

傘を買いました。ところが急に雨が（　　　）。
①見ました　②割れました　③やみました　④破裂させました

パターン9 穴埋め問題2

☞ 問題49、51、53、55、61、65、67、69

長文を読み、(　　　)の前後の文脈を見て、(　　　)に入る単語や句を答える問題が9問出題されます。

다음을 읽고 물음에 답하십시오.

> 요즘 아이들은 손에서 휴대전화를 놓지 않습니다. 차를 탈 때, 밥을 먹을 때, 걸어갈 때도 휴대전화를 봅니다. 그러면 눈에도 나쁘고 위험도 하지만 무엇보다 사람 사이의 대화가 없습니다. 집에 가면 부모님과도 대화가 거의 없습니다. 그래서 요즘, 사람과의 대화를 위해 휴대전화를 잠시 손에서 (　　㉠　　) 필요합니다.

15) ㉠에 들어갈 알맞은 말을 고르십시오.

① 보는 것이　　② 만드는 것이
③ 내려놓는 것이　　④ 가까이하는 것이

> 화는 왜 나는 것일까요? 스트레스를 받을 때, 말로 공격을 받았을 때 (　㉠　) 화가 날 수 있습니다. 즉 잠깐 동안 나타납니다. 또는 하고 싶은 일이 잘 되지 않았을 때는 길게 화를 낼 수 있습니다. 날씨가 더울 때도 화가 납니다. 이렇게 화가 나는 이유는 여러 가지가 있습니다.

16) ㉠에 들어갈 알맞은 말을 고르십시오.

① 아주 많게　　② 아주 길게
③ 아주 적게　　④ 아수 짧게

■ 解答・解説

15) 正解は③。손에서 휴대전화를 놓지 않습니다（手から携帯電話を離しません）という部分がこの文章の主題である。사람 사이의 대화가 없습니다（人との間の会話がありません）、사람과의 대화를 위해（人との会話のために）とあることから、③내려놓는 것이（離しておくことが）が正解である。

> 最近の子どもたちは、手から携帯電話を離しません。車に乗るとき、ご飯を食べるとき、歩いているときも携帯電話を見ています。すると、目にも悪く危険ですが、何より人との間の会話がありません。家に帰っても両親ともほとんど会話がありません。だから最近は人との会話のために、携帯電話をしばらく手から（ ㉠ ）必要です。
>
> ①見ることが　②作ることが
>
> ③離しておくことが　④近付けることが

16) 正解は④。選択肢を見ると、どれも-게（～く）という語尾で終わっており、後ろの화가 날 수 있습니다（怒りが湧きます）の様子を修飾していることが分かる。さらにその後ろを見ると즉 잠깐 동안 나타납니다（つまり、一瞬表れるのです）とあるので、ここで言い換えられていることが分かる。従って④が正解である。

> 怒りはなぜ湧いてくるのでしょうか。ストレスを受けたときや言葉で攻撃を受けたとき、（ ㉠ ）怒りが湧きます。つまり、一瞬表れるのです。また、やりたいことが上手くいかないときは、長く怒りが続くこともあります。暑いときにも怒りが湧きます。このように怒りが湧いてくる理由には、いろいろあります。
>
> ①とても多く　②とても長く
>
> ③とても少なく　④とても短く

パターン10 内容に一致しない文を選ぶ問題 ☞ 問題40〜42

案内文や図表などの内容に一致しない選択肢を選ぶ問題が3問出題されます。一致しないものを選ぶパターンは、この案内文・図表問題のみです。

17) 다음을 읽고 맞지 <u>않는</u> 것을 고르십시오.

[영수증]
[매장명] 한국마트
[사업자] 123-02-34567
[대표자] 김수현
[매출일] 2014-07-25

상품명	단가	수량	금액(원)
레몬차	2,000	3	6,000
우유	2,400	2	4,800
배	1,000	5	5,000

① 배는 한 개에 천 원입니다.

② 7월 25일에 샀습니다.

③ 레몬차는 한 개에 6천 원입니다.

④ 우유는 한 개에 2천 400원입니다.

■解答・解説

17) 正解は③。案内や図表の読み取り問題では、数字に注目することが重要である。ここでは、日付と価格が重要な情報となる。それぞれの**단가**（単価）と**금액**（金額）を見ると、間違っているのは③であることが分かる。この読み取り領域では内容に一致しない選択肢を答える問題になっているので、十分に注意する。

［領収書］
［売場名］韓国マート
［事業者］123-02-34567
［代表者］キム・スヒョン
［売上日］2014-07-25

商品名	単価	数量	金額（ウォン）
レモンティー	2,000	3	6,000
牛乳	2,400	2	4,800
梨	1,000	5	5,000

①梨は１個1,000ウォンです。
②7月25日に買いました。
③レモンティーは１個6,000ウォンです。
④牛乳は１個2,400ウォンです。

パターン11 文章の内容に一致する文を選ぶ問題

☞ 問題43～45、50、54、56、60、62、64、66、68、70

文章の内容に一致する選択肢を選ぶ問題が12問出題されます。最初の3問は三つの文からなる短い文章を読んで答える問題で、残りの9問は長文を読んで答える問題です。

18) **다음의 내용과 같은 것을 고르십시오.**

오늘 저녁을 먹고 엄마와 같이 마트에 갔습니다. 나는 바나나를 먹고 싶었습니다. 엄마는 나를 위해 싱싱한 바나나와 생선을 샀습니다.

① 오늘 저녁에 마트에 갈 겁니다.
② 마트에 가서 저녁을 먹었습니다.
③ 엄마는 마트에서 과일을 샀습니다.
④ 엄마는 바나나를 먹고 싶어 했습니다.

19) **이 글의 내용과 같은 것을 고르십시오.**

눈으로 옷을 입은 산의 경치는 아름답습니다. 하지만 동물들에게는 눈이 반갑지 않습니다. 눈 때문에 길과 먹이 찾기가 어렵습니다. 최근 강원도에 갑자기 많은 눈이 내려 눈 속에서 나오지 못하는 동물이 있었습니다. 또 어떤 동물은 먹을 것이 없어서 굶어 죽기도 했습니다.

① 동물들은 눈을 좋아합니다.
② 옷을 입은 동물들은 예쁩니다.

③ 눈 때문에 죽는 동물들이 있습니다.

④ 눈 때문에 길과 먹이를 쉽게 찾을 수 있습니다.

■解答・解説

18) 正解は③。最初の文に**저녁을 먹고 엄마와 같이 마트에 갔습니다**（晩ご飯を食べてからお母さんと一緒にスーパーへ行きました）とあるので、①と②は間違っていることが分かる。また**나는 바나나를 먹고 싶었습니다**（私はバナナを食べたかったです）とあるが、母親については触れられていないので、④については判断できない。③が正解である。選択肢③では**바나나**（バナナ）が**과일**（果物）と言い換えられているので注意。

今日、晩ご飯を食べてからお母さんと一緒にスーパーへ行きました。私はバナナを食べたかったです。お母さんは私のために新鮮なバナナと魚を買いました。

①今日の夕方、スーパーへ行きます。

②スーパーへ行って、夕飯を食べました。

③お母さんはスーパーで果物を買いました。

④お母さんはバナナを食べたがっていました。

19) 正解は③。**눈 때문에 길과 먹이 찾기가 어렵습니다**（雪のために道や餌を探すのが難しいです）とあり、また**어떤 동물은 먹을 것이 없어서 굶어 죽기도 했습니다**（ある動物は、食べる物がなくて飢え死にしたりもしました）ともあるので、雪のために飢え死にしたと考えることができる。従って、③が正解である。①と④は内容に反しており、②はここからは読み取れない。

雪で服をまとった雪山の景色は美しいです。しかし、動物たちにとって雪はうれしくありません。雪のために道や餌を探すのが難しいです。最近、江原道に急に大雪が降り、雪の中から抜け出せない動物がいました。また、ある動物は、食べる物がなくて飢え死にしたりもしました。

①動物たちは雪が好きです。

②服を着た動物たちはかわいいです。

③雪のために死ぬ動物がいます。

④雪のために道や餌を簡単に探すことができます。

パターン12 主題や意図を選ぶ問題

☞ 問題46〜48、52、63

書いた人の考えや、何について書かれた文章かを把握する問題が5問出題されます。

20) 다음을 읽고 중심 생각을 고르십시오.

저는 걱정이 많으면 혼자 산으로 갑니다. 오르기 힘든 산을 올라가면서 아무 생각을 하지 않습니다. 그러면 마음이 편안합니다.

① 산에 오르면 마음이 편안합니다.

② 저는 산에 가는 것을 좋아합니다.

③ 산은 혼자 갈 때 마음이 편안합니다.

④ 저는 오르기 힘든 산에 가는 것을 좋아합니다.

■ **解答・解説**

20) 正解は①。**그러면 마음이 편안합니다**（そうすると心が楽になります）というのがこの文章の主題である。**그러면**（そうすると）は、直前の**산을 올라가면서 아무 생각을 하지 않습니다**（山を登りながら、何も考えません）を指している。従って、①が正解となる。

私は心配事があると、一人で山へ行きます。登るのが大変な山を登りながら、何も考えません。そうすると心が楽になります。
①山に登ると、心が楽です。
②私は山に行くのが好きです。
③山は一人で行くとき、心が楽になります。
④私は登るのが大変な山に行くのが好きです。

パターン13 文を適切に並べる問題

☞ 問題57、58

提示された四つの文の順番を並べ替えて、意味の通る文章をつくる問題が2問出題されます。

21) 다음을 순서대로 맞게 나열한 것을 고르십시오.

(가) 하지만 최근에는 힘든 일이 생겨서 자주 못 갔습니다.
(나) 특히 배낭여행은 돈이 적게 들어서 더 많이 갔습니다.
(다) 저는 여행을 좋아해서 자주 여행을 갑니다.
(라) 아버지께서 많이 편찮으셔서 주로 병원에 있었습니다.

① (다)−(나)−(가)−(라)　② (다)−(나)−(라)−(가)

③ (다)−(가)−(라)−(나)　④ (다)−(라)−(나)−(가)

■ 解答・解説

21) 正解は①。TOPIK Iの並べ替え問題では1文目が固定されているので、まず1文目を確認することが重要である。まず、1文目は(다)であり、**여행**（旅行）が話題になっていることが分かる。内容を見ていくと、(나)では旅行によく行ったという内容なのに対し、(가)の**자주 못 갔습니다**（あまり行けませんでした）と(라)の**주로 병원에 있었습니다**（ほとんど病院にいました）から分かるように、これら二つは逆の内容になっている。そのため、(다)の後ろには(나)が続くことが分かる。前の二つと逆の内容である(가)と(라)では、(가)の文頭に**하지만**（しかし）があるため先に来て、最後に(라)が来ることになる。従って、(다)→(나)→(가)→(라)が正解である。

(가) しかし最近は大変なことがあって、あまり行けませんでした。
(나) 特に一人旅はお金がかからないので、よく行きました。
(다) 私は旅行が好きでよく旅行へ行きます。
(라) 父の具合がとても悪くて、ほとんど病院にいました。

パターン14 文を挿入する問題

☞ 問題59

長文の中に四つの(　　　)が用意され、そのうちのどれかに文を挿入する問題が1問出題されます。

22) 다음을 읽고 물음에 답하십시오.

지난 주말에 여자 친구와 같이 강원도 평창에 갔습니다. (㉠) 스키를 타러 갔습니다. (㉡) 그런데 2018년 겨울에 한국에서 올림픽을 해서 이곳저곳이 작년보다 많이 달랐습니다. (㉢) 건물이 새 건물이 되었고 깨끗했습니다. (㉣) 내년에 가족과 함께 또 올 겁니다.

다음 문장이 들어갈 곳을 고르십시오.

버스 정류장에서 숙소까지 바로 가는 셔틀 버스도 생겨서 편리했습니다.

① ㉠　　② ㉡　　③ ㉢　　④ ㉣

■解答・解説

22) 正解は④。挿入する文で**셔틀 버스도 생겨서**(シャトルバスもできて)とあるので、新しく変わった部分についての話だと分かる。本文を見ると**작년보다 많이 달랐습니다**(去年とはかなり違っていました)とあるので、この後の(　　)に入ると判断できる。また、**셔틀 버스도**(シャトルバスも)とあることから、その前にもう一つ新しくなったものが来ると分かる。そのもう一つが**건물이 새 건물이 되었고**(建物が新しくなって)だと読めるので、この後の㉣に入れることができる。

先週末、彼女と一緒に江原道のピョンチャンへ行きました。(㉠) スキーをしに行きました。(㉡) ところが、2018 年の冬に韓国でオリンピックをするため、いろいろな所が去年とはかなり違っていました。(㉢) 建物が新しくなってきれいでした。(㉣) 来年、家族と一緒にまた来るつもりです。

バスの停留所から宿まですぐに行けるシャトルバスもできて、便利でした。

模擬試験 1
1회 모의고사

TOPIK Ⅰ

듣기, 읽기

・制限時間は100分（聞き取り約40分、読解約60分）です。
・「聞き取り」は、CD-ROM音声のTR11−20を使用します。
・解答用紙は巻末にあります。切り取ってお使いください。
・正解と問題ごとの配点はP.152に掲載されています。

수험번호(Applicaton No.)		
이름 (Name)	한국어(Korean)	
	영　어(English)	

유 의 사 항
Information

1. 시험 시작 지시가 있을 때까지 문제를 풀지 마십시오.
   Do not open the booklet until you are allowed to start.

2. 접수번호와 이름은 정확하게 적어 주십시오.
   Write your name and application number on the answer sheet.

3. 답안지를 구기거나 훼손하지 마십시오.
   Do not fold the answer sheet; keep it clean.

4. 답안지의 이름, 접수번호 및 정답의 기입은 컴퓨터용 펜을 사용하여 주십시오.
   Use the optical mark reader(OMR) pen only.

5. 정답은 답안지에 정확하게 표시하여 주십시오.
   Mark your answer accurately and clearly on the answer sheet.

   marking example ① ● ③ ④

6. 문제를 읽을 때에는 소리가 나지 않도록 하십시오.
   Keep quiet while answering the questions.

7. 질문이 있을 때에는 손을 들고 감독관이 올 때까지 기다려 주십시오.
   When you have any questions, please raise your hand.

듣기 (1번 ~ 30번)

※ **[1~4] 다음을 듣고 〈보기〉와 같이 물음에 맞는 대답을 고르십시오.**

보기

가 : 공부를 해요?

나 : ______________

❶ 네, 공부를 해요. ② 아니요, 공부예요.

③ 네, 공부가 아니에요. ④ 아니요, 공부를 좋아해요.

1. ① 네, 빵이에요. ② 네, 빵이 없어요.
③ 아니요, 빵을 사요. ④ 아니요, 빵이 좋아요.

2. ① 네, 가방이에요. ② 네, 가방이 비싸요.
③ 아니요, 가방이 많아요. ④ 아니요, 가방이 있어요.

3. ① 어제 공부했어요. ② 한국어를 공부했어요.
③ 친구하고 공부했어요. ④ 도서관에서 공부했어요.

4. ① 아주 예뻐요. ② 제 여동생이에요.
③ 열아홉 살이에요. ④ 사진에서 봤어요.

※ **[5~6] 다음을 듣고 〈보기〉와 같이 다음 말에 이어지는 것을 고르십시오.**

보기

가 : 맛있게 드세요.

나 : ______________________

① 좋겠습니다. ② 모르겠습니다.

③ 잘 지냈습니다. ❹ 잘 먹겠습니다.

5. ① 네, 병원입니다. ② 네, 병원에 갑니다.
   ③ 아니요, 병원이 있습니다. ④ 아니요, 병원에서 일합니다.

6. ① 괜찮습니다. ② 안녕하세요.
   ③ 고맙습니다. ④ 반갑습니다.

※ **[7~10] 여기는 어디입니까? 〈보기〉와 같이 알맞은 것을 고르십시오.**

보기

가 : 어디가 아프세요?

나 : 배가 아파요.

① 가게 ② 빵집 ❸ 병원 ④ 시장

7. ① 식당 ② 학교 ③ 우체국 ④ 편의점

8. ① 꽃집 ② 은행 ③ 박물관 ④ 영화관

9. ① 서점 ② 극장 ③ 커피숍 ④ 미용실

10. ① 공항 ② 약국 ③ 백화점 ④ 도서관

※ [11~14] 다음은 무엇에 대해 말하고 있습니까? 〈보기〉와 같이 알맞은 것을 고르십시오.

보기

가 : 누구예요?

나 : 이 사람은 형이고, 이 사람은 동생이에요.

❶ 가족 ② 이름 ③ 고향 ④ 소포

11. ① 휴일 ② 장소 ③ 방학 ④ 여행

12. ① 운동 ② 물건 ③ 과일 ④ 교통

13. ① 요일 ② 날짜 ③ 직업 ④ 주소

14. ① 선물 ② 취미 ③ 가격 ④ 계획

※ [15~16] 다음 대화를 듣고 알맞은 그림을 고르십시오.

15. ①

②

③

④

16. ①

②

③

④

※ [17~21] 다음을 듣고 <보기>와 같이 대화 내용과 같은 것을 고르십시오.

보기

남자 : 요즘 한국어를 공부해요?

여자 : 네, 한국 친구한테서 한국어를 배워요.

① 남자는 학생입니다. ② 여자는 학교에 다닙니다.

③ 남자는 한국어를 가르칩니다. ❹ 여자는 한국어를 공부합니다.

17. ① 남자는 생일 파티를 했습니다.
② 여자는 생일 파티에 못 갑니다.
③ 여자는 생일 파티를 좋아합니다.
④ 남자는 생일 파티에 여자를 초대했습니다.

18. ① 여자는 사진을 찍고 있습니다.
② 여자는 내일 박물관에 갈 겁니다.
③ 남자는 사진을 찍고 싶지 않습니다.
④ 남자는 지금 사진을 찍으려고 합니다.

19. ① 여자는 기침이 나서 병원에 왔습니다.
② 여자는 3일 동안 병원에 와야 합니다.
③ 남자는 목이 부어 치료를 받고 있습니다.
④ 남자는 기침을 많이 해서 목이 부었습니다.

20. ① 남자는 여행사 직원입니다.
② 여자는 비행기 표를 예약했습니다.
③ 남자는 창문 옆 자리를 예약하려고 합니다.
④ 여자는 전화로 비행기 표를 알아보고 있습니다.

21. ① 여자는 두 달 전에 라디오를 샀습니다.
② 여자는 새 라디오를 다시 받을 겁니다.
③ 여자의 라디오는 어제 고장이 났습니다.
④ 여자는 직접 라디오를 찾으러 가야 합니다.

※ **[22~24] 다음을 듣고 대화 내용과 같은 것을 고르십시오.**

22. ① 여자는 대출증을 만들었습니다.
② 여자는 사진을 가지고 있습니다.
③ 신분증이 없으면 대출증을 만들 수 없습니다.
④ 대출증을 만들려면 사진 한 장이 필요합니다.

23. ① 남자는 작년에 수영 강사였습니다.
② 남자는 수영장에서 일하기를 원합니다.
③ 수영 강사 경험이 있으면 바로 일할 수 있습니다.
④ 남자는 수영장을 청소하는 일을 하고 싶어 합니다.

24. ① 여자는 3일 전에 예약을 했습니다.
   ② 여자는 호텔에 가서 예약하고 있습니다.
   ③ 여자는 추가로 돈을 내지 않아도 됩니다.
   ④ 여자는 예약을 취소하려고 전화했습니다.

※ **[25~26] 다음을 듣고 물음에 답하십시오.**

25. 어떤 이야기를 하고 있는지 고르십시오.
   ① 감사 ② 인사 ③ 안내 ④ 초대

26. 들은 내용과 같은 것을 고르십시오.
   ① 아이를 이미 찾았습니다.
   ② 아이는 가방을 들고 있습니다.
   ③ 아이는 키가 크고 머리가 짧습니다.
   ④ 아이를 찾으면 1층으로 가야 합니다.

※ [27~28] **다음을 듣고 물음에 답하십시오.**

27. 두 사람이 무엇에 대해 이야기하고 있는지 고르십시오.

① 방학에 한 일　　② 방학에 할 계획

③ 방학에 해야 하는 일　　④ 방학을 잘 보내는 방법

28. 들은 내용과 같은 것을 고르십시오.

① 남자는 부산에 갔다 왔습니다.

② 여자는 방학을 기대하고 있습니다.

③ 여자는 제주도에 가 본 적이 있습니다.

④ 남자는 방학에 재미있는 시간을 보냈습니다.

※ [29~30] **다음을 듣고 물음에 답하십시오.**

29. 남자는 지금 왜 여기에 왔습니까?

① 소포를 부치려고　　② 소포를 찾으려고

③ 소포를 바꾸려고　　④ 소포를 확인하려고

30. 들은 내용과 같은 것을 고르십시오.

① 소포는 일주일 뒤에 도착합니다.

② 소포를 찾으려면 주소를 알아야 합니다.

③ 소포가 도착했는지 직접 확인해야 합니다.

④ 소포에는 유리로 된 물건이 들어 있지 않습니다.

읽기 (31번 ~ 70번)

※ **[31~33] 다음은 무엇에 대한 이야기입니까? 〈보기〉와 같이 알맞은 것을 고르십시오.**

보기			
덥습니다. 바다에서 수영합니다.			
❶ 여름	② 날씨	③ 나이	④ 나라

31.

오전에 요리를 배웁니다. 오후에 한국어를 배웁니다.

① 날씨 ② 수업 ③ 장소 ④ 날짜

32.

오늘은 동생이 졸업합니다. 저는 꽃을 줄 겁니다.

① 취미 ② 직업 ③ 선물 ④ 시간

33.

오늘은 일요일입니다. 그래서 민호 씨는 회사에 안 갑니다.

① 운동 ② 약속 ③ 여행 ④ 휴일

※ **[34~39] 〈보기〉와 같이 (　　)에 들어갈 제일 알맞은 것을 고르십시오.**

보기			
날씨가 좋습니다. (　　　)이 맑습니다.			
① 눈	② 밤	❸ 하늘	④ 구름

34.

머리(　　　) 좋아요.

① 와　② 를　③ 가　④ 에

35.

편지를 보냅니다. (　　　)에 갑니다.

① 약국　② 공항　③ 소방서　④ 우체국

36.

어제 도서관에 가서 책을 빌렸습니다. 재미있게 (　　　).

① 썼습니다　② 갔습니다　③ 읽었습니다　④ 지냈습니다

37.

방이 (　　　). 그래서 불을 켰습니다.

① 좋습니다　　② 덥습니다　　③ 넓습니다　　④ 어둡습니다

38.

늦게 가면 제시간에 도착할 수 없습니다. (　　　　) 출발합시다.

① 일찍　　② 천천히　　③ 이따가　　④ 나중에

39.

물건이 안 팔려요. 그래서 가격을 (　　　　).

① 내렸어요　　② 올렸어요　　③ 높였어요　　④ 인상했어요

※ **[40~42] 다음을 읽고 맞지 <u>않는</u> 것을 고르십시오.**

40.

2014년 한국대 가족 캠프 !

– 눈과 함께하는 가족 사랑 –

1. 기간 : 2014년 2월 25일(화)~2월 27일(목)(2박 3일)
2. 출발 장소 : 한국대학교 정문 앞
3. 대상 : 한국대학교 교수·직원 가족
4. 참가비 : 만 원

① 가족 사랑 캠프는 겨울에 갑니다.

② 이번 캠프는 주말에 이틀 동안 합니다.

③ 캠프에 참가하려면 만 원이 필요합니다.

④ 한국대학교에서 일하는 사람은 참석할 수 있습니다.

41.

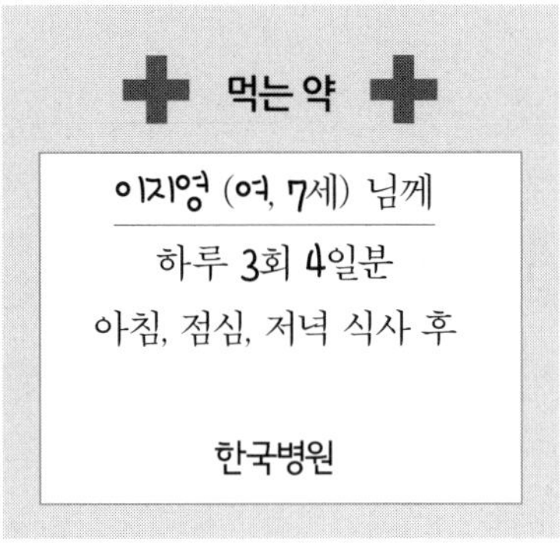
먹는 약

이지영 (여, 7세) 님께

하루 3회 4일분

아침, 점심, 저녁 식사 후

한국병원

① 3일 동안 약을 먹습니다.

② 여자 아이가 약을 먹습니다.

③ 하루에 세 번 약을 먹습니다.

④ 밥을 먹은 후에 약을 먹습니다.

42.

이번 주말 날씨			
요일		토요일	일요일
날씨			
지역	서울	1℃	-5℃
	부산	10℃	1℃

① 일요일은 부산이 더 춥습니다.
② 토요일은 서울이 더 춥습니다.
③ 이번 주 토요일은 맑을 겁니다.
④ 이번 주 일요일은 비가 올 겁니다.

※ [43~45] **다음의 내용과 같은 것을 고르십시오.**

43.

> 오늘은 친구 생일입니다. 저는 아침을 먹고 선물을 샀습니다. 그리고 커피숍에서 친구한테 가방을 선물했습니다.

① 오늘은 제 생일입니다.
② 친구를 만나고 아침을 먹었습니다.
③ 저는 친구한테서 가방을 받았습니다.
④ 저는 커피숍에서 생일 선물을 줬습니다.

44.

> 지난주에 외국인 장기 자랑이 있었습니다. 저는 노래를 잘 못하지만 참가하고 싶었습니다. 그래서 한 달 동안 열심히 연습해서 노래를 불렀습니다.

① 저는 노래 부르기를 좋아합니다.
② 저는 장기 자랑에서 노래를 했습니다.

③ 저는 열심히 연습해서 노래를 잘합니다.

④ 저는 한 달 동안 장기 자랑에 가지 않았습니다.

45.

저는 일요일마다 독서 모임에 나갑니다. 우리 모임에서는 매주 책을 읽고 한 달에 한 번 글을 씁니다. 이번 주 토요일에는 회원들이 쓴 글을 전시할 겁니다.

① 이번 토요일에도 책을 읽을 겁니다.

② 매주 모임에 나가서 책을 읽습니다.

③ 한 달에 한 번 글 전시회가 있습니다.

④ 일요일마다 글을 쓰러 모임에 나갑니다.

※ **[46~48] 다음을 읽고 중심 생각을 고르십시오.**

46.

저는 스트레스를 받으면 노래방에 갑니다. 노래를 부를 때 큰 소리로 부릅니다. 그러면 기분이 아주 좋아집니다.

① 저는 매일 노래를 부르고 싶습니다.

② 저는 기분이 좋을 때 노래를 부릅니다.

③ 저는 스트레스를 받으면 노래로 풉니다.

④ 저는 스트레스를 받기 전에 노래방에 갑니다.

47.

우리 어머니는 거의 집에 없으십니다. 월요일부터 금요일까지는 가게에 가십니다. 주말에는 양로원에 가서 자원봉사를 하십니다. 저는 어머니와 함께 시간을 보내고 싶습니다.

① 우리 어머니는 주말에 쉽니다.
② 우리 어머니는 바쁘게 사십니다.
③ 저는 가게에서 시간을 많이 보냅니다.
④ 저는 주말에 어머니와 함께 있습니다.

48.

저는 어제 백화점에 갔습니다. 이곳저곳을 구경한 후 해외여행을 가려고 가방을 샀습니다. 그런데 가방의 색깔이 마음에 들지 않았습니다.

① 저는 어제 산 가방이 좋지 않습니다.
② 저는 백화점에 가는 것을 좋아합니다.
③ 저는 어제 해외 여행사를 구경했습니다.
④ 저는 여행 장소가 마음에 들지 않습니다.

※ [49~50] **다음을 읽고 물음에 답하십시오.**

> 요즘 (　　㉠　　) '인형 박물관'이 인기가 많습니다. 그곳에는 옛날 인형이 많이 있습니다. 또 요즘 유명한 사람을 그대로 만든 인형도 있습니다. 특히 전통 옷을 입은 세계 여러 나라의 인형을 볼 수 있습니다. 어른들은 그곳에서 아이들과 함께 인형을 직접 만들 수 있습니다.

49. ㉠에 들어갈 알맞은 말을 고르십시오.

① 인형을 만드는　　② 박물관 근처에 있는

③ 인형을 전시하는　　④ 옛날 인형을 줄 수 있는

50. 이 글의 내용과 같은 것을 고르십시오.

① 요즘 인형 박물관이 많이 있습니다.

② 이 박물관에서 인형을 만들 수 있습니다.

③ 어른들만 이 박물관에 들어갈 수 있습니다.

④ 박물관에 가면 옛날 인형만 볼 수 있습니다.

※ **[51~52] 다음을 읽고 물음에 답하십시오.**

저는 나쁜 습관이 있습니다. 의자에 바르게 앉지 못합니다. 그래서 어제 병원에 갔는데 의사 선생님이 여러 가지 (㉠)에 대해 가르쳐 주셨습니다. 눈은 정면을 바라보고 등은 똑바로 폅니다. 그리고 두 손은 자연스럽게 무릎 위에 얹습니다. 오늘부터 나쁜 습관을 열심히 고치겠습니다.

51. ㉠에 들어갈 알맞은 말을 고르십시오.

① 바른 자세　　② 운동 자세

③ 면접 자세　　④ 나쁜 습관

52. 무엇에 대한 이야기입니까? 알맞은 것을 고르십시오.

① 의자에 자주 앉는 이유

② 의자에 바르게 앉는 방법

③ 의자를 바르게 고치는 방법

④ 의자에 앉는 습관이 나쁜 이유

※ [53~54] **다음을 읽고 물음에 답하십시오.**

> 다이어트에 좋은 방법이 있습니다. 매일 같은 시간에 운동을 하는 것입니다. 하지만 바쁜 현대 생활에서는 운동할 시간이 없어서 다이어트하기가 쉽지 않습니다. 그래서 요즘 사람들은 짧은 시간에 (㉠) '걷기'를 많이 합니다.

53. ㉠에 들어갈 알맞은 말을 고르십시오.

① 많이 달리는　　② 빨리 살을 빼는
③ 움직이지 않는　　④ 쉽게 할 수 있는

54. 이 글의 내용과 같은 것을 고르십시오.

① 운동은 함께 해야 합니다.
② 매일 운동하는 것은 쉽습니다.
③ 현대인이 많이 하는 것은 걷기입니다.
④ 현대인은 다이어트할 시간이 많습니다.

※ [55~56] **다음을 읽고 물음에 답하십시오.**

> 동건 씨, 오늘 저녁에 동아리 모임이 있어서 회원들 대부분이 우리 집에 올 거예요. 동건 씨도 시간이 있으면 오세요. 오늘 저녁 간식은 제가 만들 과자와 빵이에요. 재료는 다 준비했으니까 동건 씨는 그냥 오세요. 학교 앞 버스 정류장에서 전화하세요. (　　㉠　　) 제가 직접 버스 정류장으로 나갈게요.
>
> – 민호 –

55. ㉠에 들어갈 알맞은 말을 고르십시오.

① 그래서　　② 그리고　　③ 그러나　　④ 그러면

56. 이 글의 내용과 같은 것을 고르십시오.

① 동건이 직접 간식을 만들 겁니다.

② 민호가 간식 재료를 다 준비했습니다.

③ 동건은 오늘 저녁에 회원들을 초대했습니다.

④ 민호는 정류장에서 동건에게 전화할 겁니다.

※ [57~58] **다음을 순서대로 맞게 나열한 것을 고르십시오.**

57.

(가) 남자와 여자는 여러 가지 다른 특징이 있다.
(나) 먼저 남자는 한 가지 일에 집중을 잘한다.
(다) 그리고 많은 단어를 사용해 말하는 것도 여자이다.
(라) 하지만 여자는 여러 가지 일을 동시에 할 수 있다.

① (가)-(나)-(다)-(라)
② (가)-(나)-(라)-(다)
③ (가)-(다)-(라)-(나)
④ (가)-(라)-(나)-(다)

58.

(가) 그래서 요즘 건강이 많이 좋아졌습니다.
(나) 제가 사는 집은 지하철역 근처에 있습니다.
(다) 저는 지하철역에서 집까지 걸어서 갑니다.
(라) 걸어서 20분, 버스로는 5분 걸립니다.

① (나)-(다)-(라)-(가)
② (나)-(라)-(다)-(가)
③ (나)-(라)-(가)-(다)
④ (나)-(가)-(라)-(다)

※ **[59~60] 다음을 읽고 물음에 답하십시오.**

사고가 났을 때 사람들은 보통 경찰서 전화번호인 112에 전화를 합니다. (㉠) 그런데 가끔 아이들이 장난으로 112에 전화를 합니다. (㉡) 그리고 어떤 사람은 술을 먹고 112에 전화해서 끊지 않습니다. (㉢) 또 내가 사고가 났을 때도 도움을 받을 수 없습니다. (㉣) 그래서 필요할 때만 112에 전화해야 합니다.

59. 다음 문장이 들어갈 곳을 고르십시오.

그러면 도움이 꼭 필요한 사람이 도움을 받을 수 없습니다.

① ㉠ ② ㉡ ③ ㉢ ④ ㉣

60. 이 글의 내용과 같은 것을 고르십시오.

① 아이들은 경찰서에서 가끔 장난합니다.

② 아이들은 경찰서 전화번호를 잘 모릅니다.

③ 술을 마신 사람은 112에 전화를 안 합니다.

④ 도움이 필요할 때만 112에 전화를 해야 합니다.

※ **[61~62] 다음을 읽고 물음에 답하십시오.**

> 가을이 되면 내장산에는 단풍 구경을 온 등산객들이 아주 많습니다. 경치가 매우 아름다워서 사람들은 주로 가을에 많이 옵니다. 산의 (㉠   ) 단풍의 색이 다릅니다. 산 아래에서 정상으로 올라갈수록 온도의 차이로 색이 달라집니다. 올해도 단풍이 아름답게 들어서 많은 사람이 찾아올 예정입니다.

61. ㉠에 들어갈 알맞은 말을 고르십시오.

① 날씨에 따라　　② 계절에 따라

③ 장소에 따라　　④ 높이에 따라

62. 이 글의 내용과 같은 것을 고르십시오.

① 가을에 나뭇잎의 변화로 등산할 수 없습니다.

② 가을에는 산이 등산객의 옷 때문에 아름답습니다.

③ 가을에는 산의 나뭇잎이 여러 가지 색으로 바뀝니다.

④ 가을이 되면 단풍을 보는 사람들이 매우 아름답습니다.

※ [63~64] 다음을 읽고 물음에 답하십시오.

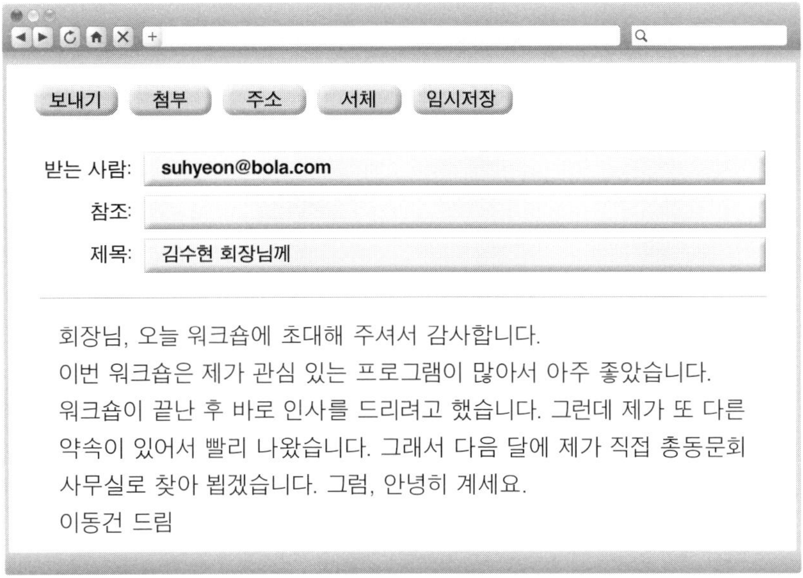
보내기 첨부 주소 서체 임시저장

받는 사람: suhyeon@bola.com

참조:

제목: 김수현 회장님께

회장님, 오늘 워크숍에 초대해 주셔서 감사합니다.
이번 워크숍은 제가 관심 있는 프로그램이 많아서 아주 좋았습니다.
워크숍이 끝난 후 바로 인사를 드리려고 했습니다. 그런데 제가 또 다른 약속이 있어서 빨리 나왔습니다. 그래서 다음 달에 제가 직접 총동문회 사무실로 찾아 뵙겠습니다. 그럼, 안녕히 계세요.
이동건 드림

63. 동건 씨는 왜 이 글을 썼습니까?

① 워크숍 초대에 감사해서

② 워크숍에 오신 회원들에게 감사해서

③ 회장님을 워크숍에 초대하고 싶어서

④ 회장님과 만날 또 다른 약속이 있어서

64. 이 글의 내용과 같은 것을 고르십시오.

① 이번 워크숍에는 여러 가지 프로그램이 있었습니다.

② 총동문회는 다음 주에 다시 워크숍을 하려고 합니다.

③ 회원들은 이번 워크숍 프로그램에 관심이 많았습니다.

④ 동건 씨는 워크숍 시작 전에 회장님을 만나고 싶었습니다.

※ **[65~66] 다음을 읽고 물음에 답하십시오.**

우리 몸은 외부에서 들어온 나쁜 물질에 강하게 저항하여 건강을 유지하려고 합니다. 이러한 활동을 면역이라고 합니다. 침은 (　　㉠　　) 해 줍니다. 눈물은 먼지를 씻어 주고 속눈썹은 먼지를 막아 눈을 보호합니다. 그리고 땀은 피부를 보호합니다. 이외에도 우리 몸에는 여러 가지 면역 기관이 있습니다.

65. ㉠에 들어갈 알맞은 말을 고르십시오.

① 눈을 뜨겁게　　② 귀를 따뜻하게
③ 두 손을 차갑게　　④ 입 안을 깨끗하게

66. 이 글의 내용과 같은 것을 고르십시오.

① 건강은 나쁜 물질에 강하게 저항하는 것입니다.
② 눈에 먼지가 들어가면 눈물이 나서 씻어 냅니다.
③ 우리 몸은 내부에서 나가는 물질도 저항합니다.
④ 우리 몸에서 면역 기관은 침, 눈물, 땀만 있습니다.

※ **[67~68] 다음을 읽고 물음에 답하십시오.**

> 저는 매일 오후에 도서관에 다닙니다. 도서관에는 여러 가지 좋은 시설이 (　　㉠　　) 있습니다. 1층에는 컴퓨터실과 복사실이 있습니다. 2층에는 학생 휴게실이 있습니다. 그리고 3층에는 열람실과 멀티미디어실이 있습니다. 저는 앞으로도 계속 도서관을 (　　㉡　　).

67. ㉠에 알맞은 것을 고르십시오.

① 조금　　② 거의

③ 많이　　④ 전혀

68. ㉡에 알맞은 것을 고르십시오.

① 이용했습니다　　② 이용할 것입니다

③ 이용하고 있습니다　　④ 이용하여도 됩니다

※ [69~70] **다음을 읽고 물음에 답하십시오.**

> 8시에 일어난 나는 늦어서 급하게 세수하였다. 어머니가 차려 준 아침을 먹은 후 물을 계속 틀고 이를 닦았다. 오늘 (㉠) 수업 시간표를 확인한 후 준비물 때문에 늦게 집에서 나왔다. 그래서 걸어서 5분인 학교까지 아버지의 차를 타고 갔다. 학교 수업을 마치고 집으로 돌아와서 컴퓨터 게임을 했다. 그런데 친구가 불러서 컴퓨터를 끄지 않고 그냥 축구하러 갔다.

69. ㉠에 들어갈 알맞은 말을 고르십시오.

① 만들　　② 보낼

③ 만질　　④ 배울

70. 이 글의 내용으로 알 수 있는 것은 무엇입니까?

① 나는 오늘 자원을 많이 낭비했습니다.

② 우리 어머니는 음식을 잘 만드십니다.

③ 나는 오늘 시간을 많이 사용했습니다.

④ 우리 아버지는 자주 차를 태워 주십니다.

模擬試験 2

2회 모의고사

TOPIK Ⅰ

듣기, 읽기

・制限時間は100分（聞き取り約40分、読解約60分）です。

・「聞き取り」は、CD-ROM音声のTR11−20を使用します。

・解答用紙は巻末にあります。切り取ってお使いください。

・正解と問題ごとの配点はP.152に掲載されています。

<table>
<tr><td colspan="2">수험번호(Applicaton No.)</td><td></td></tr>
<tr><td rowspan="2">이름
(Name)</td><td>한국어(Korean)</td><td></td></tr>
<tr><td>영　어(English)</td><td></td></tr>
</table>

유 의 사 항
Information

1. 시험 시작 지시가 있을 때까지 문제를 풀지 마십시오.
   Do not open the booklet until you are allowed to start.

2. 접수번호와 이름은 정확하게 적어 주십시오.
   Write your name and application number on the answer sheet.

3. 답안지를 구기거나 훼손하지 마십시오.
   Do not fold the answer sheet; keep it clean.

4. 답안지의 이름, 접수번호 및 정답의 기입은 컴퓨터용 펜을 사용하여 주십시오.
   Use the optical mark reader(OMR) pen only.

5. 정답은 답안지에 정확하게 표시하여 주십시오.
   Mark your answer accurately and clearly on the answer sheet.

   marking example ① ● ③ ④

6. 문제를 읽을 때에는 소리가 나지 않도록 하십시오.
   Keep quiet while answering the questions.

7. 질문이 있을 때에는 손을 들고 감독관이 올 때까지 기다려 주십시오.
   When you have any questions, please raise your hand.

듣기 (1번 ~ 30번)

※ [1~4] 다음을 듣고 <보기>와 같이 물음에 맞는 대답을 고르십시오.

보기	
가 : 공부를 해요?	
나 : ________________	
❶ 네, 공부를 해요.	② 아니요, 공부예요.
③ 네, 공부가 아니에요.	④ 아니요, 공부를 좋아해요.

1. ① 네, 친구예요. ② 네, 친구가 없어요.
③ 아니요, 친구가 많아요. ④ 아니요, 친구를 만나요.

2. ① 네, 집이에요. ② 네, 집이 커요.
③ 아니요, 집이 좁아요. ④ 아니요, 집이 가까워요.

3. ① 어제 먹었어요. ② 혼자 먹었어요.
③ 비빔밥을 먹었어요. ④ 식당에서 먹었어요.

4. ① 3시예요. ② 13일이에요.
③ 수요일이에요. ④ 3만 원이에요.

※ **[5~6] 다음을 듣고 <보기>와 같이 다음 말에 이어지는 것을 고르십시오.**

보기

가 : 맛있게 드세요.

나 : ________________

① 좋겠습니다. ② 모르겠습니다.

③ 잘 지냈습니다. ❹ 잘 먹겠습니다.

5. ① 네, 축하합니다. ② 네, 부탁합니다.

③ 네, 감사합니다. ④ 네, 알겠습니다.

6. ① 아니에요. ② 잘했어요.

③ 감사해요. ④ 미안해요.

※ **[7~10] 여기는 어디입니까? <보기>와 같이 알맞은 것을 고르십시오.**

보기

가 : 어디가 아프세요?

나 : 배가 아파요.

① 가게 ② 빵집 ❸ 병원 ④ 시장

7. ① 서점　② 은행　③ 커피숍　④ 여행사

8. ① 공원　② 극장　③ 편의점　④ 백화점

9. ① 공항　② 학교　③ 경찰서　④ 미술관

10. ① 꽃집　② 교실　③ 미용실　④ 영화관

※ [11~14] 다음은 무엇에 대해 말하고 있습니까? <보기>와 같이 알맞은 것을 고르십시오.

보기

가 : 누구예요?

나 : 이 사람은 형이고, 이 사람은 동생이에요.

❶ 가족　② 이름　③ 고향　④ 소포

11. ① 동물　② 운동　③ 직업　④ 과일

12. ① 건강　② 방학　③ 취미　④ 음식

13. ① 날짜　② 시간　③ 주말　④ 취미

14. ① 채소　② 여행　③ 날씨　④ 계절

※ [15~16] 다음 대화를 듣고 알맞은 그림을 고르십시오.

15. ① 

② 

③ 

④ 

16. ① 

② 

③ 

④ 

※ **[17~21] 다음을 듣고 〈보기〉와 같이 대화 내용과 같은 것을 고르십시오.**

> 보기
>
> 남자 : 요즘 한국어를 공부해요?
>
> 여자 : 네, 한국 친구한테서 한국어를 배워요.
>
> ① 남자는 학생입니다. ② 여자는 학교에 다닙니다.
>
> ③ 남자는 한국어를 가르칩니다. ❹ 여자는 한국어를 공부합니다.

17. ① 남자는 혼자 음악회에 가려고 합니다.
② 여자는 친구와 음악회를 다녀왔습니다.
③ 남자는 여자와 음악회를 갈 수 있습니다.
④ 여자는 이번 주에 친구 병문안을 갑니다.

18. ① 남자는 미술관을 지나쳤습니다.
② 여자는 미술관에 가려고 합니다.
③ 여자는 다음 정류장에서 내립니다.
④ 남자는 미술관에 가는 버스를 탔습니다.

19. ① 여자는 꾸준히 운동을 합니다.
② 여자의 고민은 다이어트입니다.
③ 남자는 다이어트를 해서 살이 빠졌습니다.
④ 남자는 살을 빼려고 운동을 하고 있습니다.

20. ① 남자는 신발을 주문하려고 합니다.
② 여자는 검은색 신발로 교환했습니다.
③ 남자는 신발 가게에서 일하고 있습니다.
④ 여자는 신발이 마음에 들지 않아서 바꾸려고 합니다.

21. ① 남자는 매운 음식을 잘 먹습니다.
② 여자는 두 가지 음식을 주문했습니다.
③ 남자는 20분 후에 음식을 먹을 수 있습니다.
④ 여자는 식당에서 음식을 주문하고 있습니다.

※ [22~24] 다음을 듣고 대화 내용과 같은 것을 고르십시오.

22. ① 여자는 지금 남자를 만나러 갈 겁니다.
② 여자는 민수 씨에게 전화를 할 겁니다.
③ 남자는 두 시에 시외로 출장을 갈 겁니다.
④ 남자는 여자를 조금 일찍 만나려고 합니다.

23. ① 내일 1시에 회의를 할 겁니다.
② 회의는 3층 회의실에서 할 겁니다.
③ 회의 자료는 남자가 준비할 겁니다.
④ 컴퓨터 고장으로 회의 시간이 바뀌었습니다.

24. ① 남자는 공연을 보려고 합니다.
② 여자는 표 세 장을 사고 있습니다.
③ 여자는 만 6천 원을 내면 됩니다.
④ 남자는 자리 안내를 받고 있습니다.

※ **[25~26] 다음을 듣고 물음에 답하십시오.**

25. 어떤 이야기를 하고 있는지 고르십시오.
① 부탁 ② 감사 ③ 인사 ④ 사과

26. 들은 내용과 같은 것을 고르십시오.
① 비행기는 미국에 도착합니다.
② 비행기는 밤 10시에 출발합니다.
③ 비행기가 출발할 때 창문덮개를 닫아야 합니다.
④ 비행기 안에서 휴대전화를 사용할 수 없습니다.

※ **[27~28] 다음을 듣고 물음에 답하십시오.**

27. 두 사람이 무엇에 대해 이야기하고 있는지 고르십시오.
① 장래 희망 ② 대학교 전공
③ 고민하는 이유 ④ 커피 만드는 방법

28. 들은 내용과 같은 것을 고르십시오.

① 남자는 그림 그리는 것을 좋아합니다.

② 남자는 무엇을 공부할지 고민하고 있습니다.

③ 여자는 커피 만드는 일을 배우고 싶어 합니다.

④ 여자는 남자에게 커피 만드는 방법을 가르쳐 줬습니다.

※ [29~30] **다음을 듣고 물음에 답하십시오.**

29. 남자는 지금 왜 여기에 왔습니까?

① 집을 팔려고

② 집을 바꾸려고

③ 집을 구하려고

④ 집을 고치려고

30. 들은 내용과 같은 것을 고르십시오.

① 여자는 어제 집을 보러 왔습니다.

② 남자는 다시 집을 보러 올 겁니다.

③ 남자는 혼자 살 집을 찾고 있습니다.

④ 여자는 이 집에서 살기로 결정했습니다.

읽기 (31번 ~ 70번)

※ **[31~33] 다음은 무엇에 대한 이야기입니까? 〈보기〉와 같이 알맞은 것을 고르십시오.**

보기			
덥습니다. 바다에서 수영합니다.			
❶ 여름	② 날씨	③ 나이	④ 나라

31.

여기는 화장실입니다. 저기는 식당입니다.

① 장소 ② 나이 ③ 날씨 ④ 날짜

32.

오늘은 10월 9일입니다. 저는 오후 2시에 친구를 만날 겁니다.

① 취미 ② 계획 ③ 선물 ④ 친구

33.

준코 씨는 미용사입니다. 영수 씨는 은행에서 일합니다.

① 직업 ② 가족 ③ 나라 ④ 휴일

※ **[34~39] 〈보기〉와 같이 (　　)에 들어갈 제일 알맞은 것을 고르십시오.**

보기			
날씨가 좋습니다. (　　　　)이 맑습니다.			
① 눈	② 밤	❸ 하늘	④ 구름

34.

신문(　　) 읽어요.

① 과　　② 이　　③ 을　　④ 에서

35.

배가 아픕니다. (　　　　)에 갑니다.

① 공항　　② 서점　　③ 시장　　④ 병원

36.

주말에 여자 친구와 같이 극장에 갔습니다. 슬픈 영화를 (　　　　).

① 썼습니다　　② 봤습니다

③ 줬습니다　　④ 찼습니다

37.

> 교실이 (　　　　). 그래서 친구와 함께 청소를 했습니다.

① 좁습니다　② 더럽습니다
③ 어둡습니다　④ 어렵습니다

38.

> 지난주에 노트북을 주문했습니다. (　　　　) 집에 오지 않았습니다.

① 빨리　② 아직　③ 벌써　④ 가끔

39.

> 날씨가 더워요. 그래서 에어컨을 (　　　　).

① 봤어요　② 갔어요
③ 켰어요　④ 들었어요

※ [40~42] 다음을 읽고 맞지 않는 것을 고르십시오.

40.

"엄마와 떠나는 여행"

1. 시 간 : 2014년 5월 25일(일요일 오후 2시, 4시)
2. 장 소 : 한국소극장
3. 예매 및 문의 : 02) 123-1234(☞무대 앞 좌석은 매진)

※ 5세 이하 어린이는 입장할 수 없습니다.

① 공연은 모두 두 번 합니다.

② 연극 공연에 대한 안내입니다.

③ 네 살 어린이는 공연을 볼 수 없습니다.

④ 지금 모든 자리를 예매할 수 있습니다.

41.

농구 경기 일정

2014. 12. 11(목)

출전팀		장소	시간	방송
KE	LD	서울	19:00	○
LT	SM	부산	18:00	×

① 스포츠 경기에 대한 안내입니다.

② 11일 경기는 모두 저녁 경기입니다.

③ KE와 LD의 경기는 서울에서 합니다.

④ LT와 SM의 경기는 TV로 볼 수 있습니다.

42.

○○ 문화센터 프로그램

시간	화	수	목	금
13~15시	요가	노래	요가	
15~17시	댄스	탁구	노래	배드민턴

① 댄스는 화요일에 두 시간 합니다.

② 노래는 일주일에 두 번 있습니다.

③ 센터에 주말 프로그램이 있습니다.

④ 센터에서는 금요일에 배드민턴을 가르칩니다.

※ **[43~45] 다음의 내용과 같은 것을 고르십시오.**

43.

> 오늘 아침을 먹고 아버지와 같이 도서관에 갔습니다. 저는 도서관에서 전공 책을 대출했습니다. 아버지께서는 역사 책을 반납했습니다.

① 책을 빌리고 점심을 먹었습니다.
② 저는 오늘 전공 책을 빌렸습니다.
③ 오늘 아침 혼자 도서관에 갔습니다.
④ 아버지께서는 역사 책을 빌렸습니다.

44.

> 지난주에 형 졸업식이 있었습니다. 돈이 없었지만 선물로 옷을 주고 싶었습니다. 4주 동안 아르바이트를 해서 멋진 옷을 줬습니다.

① 저는 졸업식에서 옷을 받았습니다.
② 저는 형한테 졸업 선물을 했습니다.
③ 저는 4주 동안 형에게 멋진 옷을 줬습니다.
④ 저는 아르바이트를 해서 옷을 많이 샀습니다.

45.

> 토요일마다 달리기 모임이 있습니다. 우리는 1년에 한 번 마라톤 대회에 나가려고 한 시간씩 달리기 연습을 합니다. 다음 달에 있는 '춘천마라톤대회'에 회원 대부분이 참여합니다.

① 토요일마다 마라톤 대회가 열립니다.
② 매년 토요일에 한 시간 동안 달립니다.
③ 1년에 한 번 마라톤 대회에 나갑니다.
④ 다음 달 춘천마라톤대회에는 모든 회원이 참여합니다.

※ [46~48] **다음을 읽고 중심 생각을 고르십시오.**

46.

저는 갖고 싶은 게 있을 때 항상 수첩에 씁니다. 수첩에 쓸 때는 제일 먼저 갖고 싶은 것부터 씁니다. 그리고 그 순서대로 물건을 구입하니까 당장 필요하지 않은 것은 사지 않을 수 있습니다.

① 저는 항상 수첩에 쓴 물건을 구입합니다.
② 저는 갖고 싶은 물건은 모두 수첩에 씁니다.
③ 저는 갖고 싶은 물건을 다 구입합니다.
④ 저는 당장 필요하지 않은 물건을 먼저 수첩에 쓴 후 구입합니다.

47.

우리 형은 공부보다 게임을 좋아해서 늦게까지 게임을 합니다. 저는 제 친구들이 자기 형과 같이 축구와 농구 경기 하는 것을 보면 무척 부럽습니다. 저도 형과 함께 시간을 보내고 싶습니다.

① 저는 형과 함께 놀고 싶습니다.
② 우리 형은 축구 게임기를 사고 싶어 합니다.
③ 우리 형은 친구들과 공부를 하고 싶어 합니다.
④ 저는 형과 함께 늦게까지 공부를 하고 싶습니다.

48.

지난주 인터넷으로 침대를 샀습니다. 오늘 그 침대를 받았는데 너무 작아서 잘 수 없었습니다. 그래서 오늘 다시 다른 침대로 바꿀 겁니다.

① 저는 인터넷으로 침대 사는 것이 좋습니다.
② 저는 작은 침대에서 자는 것을 좋아합니다.
③ 저는 오늘 더 작은 침대로 다시 살 겁니다.
④ 저는 인터넷으로 산 침대를 교환할 겁니다.

※ [49~50] **다음을 읽고 물음에 답하십시오.**

요즘 (㉠) '종이 접기 교실' 이 인기가 많습니다. 그곳에는 다른 사람들이 이미 만든 여러 모양의 작품들이 많이 있습니다. 특히 동물 모양의 종이 접기 작품들이 많이 있습니다. 또 그곳에 가면 세계 여러 나라의 것도 볼 수 있습니다. 어른들은 그곳에서 아이들과 함께 종이를 접어서 만들 수 있습니다.

49. ㉠에 들어갈 알맞은 말을 고르십시오.

① 직접 볼 수 있는　　② 직접 그릴 수 있는
③ 여러 나라의 종이를 파는　　④ 여러 모양을 만들 수 있는

50. 이 글의 내용과 같은 것을 고르십시오.

① 사람들은 종이 접기를 좋아합니다.

② 동물 모양의 종이 접기 작품은 적습니다.

③ 여러 모양의 종이 접기를 할 수 없습니다.

④ 아이들은 이 종이 접기 교실에 들어갈 수 없습니다.

※ **[51~52] 다음을 읽고 물음에 답하십시오.**

저는 귤차를 자주 마십니다. 따뜻한 차로 겨울에만 마셨지만 지금은 계절에 관계없이 마십니다. 요즘은 귤을 1년 내내 (㉠) 때문입니다. 그래서 귤차는 언제든지 마실 수 있습니다. 또 귤차를 자주 마시면 건강에 좋습니다. 비타민이 많아서 피로가 빨리 풀리고 피부에도 좋습니다.

51. ㉠에 들어갈 알맞은 말을 고르십시오.

① 줄 수 있기　　② 살 수 있기

③ 볼 수 있기　　④ 팔 수 있기

52. 무엇에 대한 이야기입니까? 알맞은 것을 고르십시오.

① 귤차를 마시는 곳

② 귤차를 마시는 방법

③ 귤차를 마시는 이유

④ 귤차를 쉽게 사는 방법

※ **[53~54] 다음을 읽고 물음에 답하십시오.**

> 요즘 '이야기 콘서트' 가 많이 열립니다. '이야기 콘서트' 는 처음부터 끝까지 사람들과 같이 대화하는 콘서트입니다. 중간에 노래도 하고 춤도 추지만 대화가 더 많습니다. 콘서트에서 사람들은 같이 이야기하면서 웃고 울며 (　　㉠　　) 갑니다. 그래서 사람들은 점점 더 이 콘서트를 찾고 있습니다.

53. ㉠에 들어갈 알맞은 말을 고르십시오.

① 대화하지 않고　　② 스트레스를 풀고

③ 스트레스를 주고　　④ 선물을 주고받고

54. 이 글의 내용과 같은 것을 고르십시오.

① 이야기 콘서트는 유명하지 않습니다.

② 이야기 콘서트는 대화보다 노래가 더 많습니다.

③ 이야기 콘서트를 찾은 사람은 다음에 또 찾습니다.

④ 이야기 콘서트는 중간부터 끝까지 이야기를 합니다.

※ [55~56] **다음을 읽고 물음에 답하십시오.**

> 수잔 씨, 오늘 저녁에 친구들과 함께 영화를 볼 거예요. 수잔 씨도 시간이 있으면 오세요. 영화 표는 제가 예매할 거예요. (㉠) 음료수는 아직 안 샀어요. 올 수 있는지 오후까지 알려 주세요. 제가 수업 때문에 전화를 못 받을 수 있어요. 그럼, 문자로 남겨 주세요.
>
> – 준수 –

55. ㉠에 들어갈 알맞은 말을 고르십시오.

① 그리고 ② 그래서 ③ 그러면 ④ 그러니까

56. 이 글의 내용과 같은 것을 고르십시오.

① 수잔은 이미 음료수를 샀습니다.

② 수잔은 영화 표를 예매할 겁니다.

③ 준수는 오늘 저녁 영화를 볼 겁니다.

④ 준수는 수업 때문에 문자를 받을 수 없습니다.

※ [57~58] **다음을 순서대로 맞게 나열한 것을 고르십시오.**

57.

(가) 저는 수영을 좋아해서 일요일마다 수영장에 갑니다.
(나) 주말에 늦잠을 안 자니까 생활이 규칙적입니다.
(다) 또 시간이 많아 일요일에 많은 일을 할 수 있습니다.
(라) 하지만 주말에는 사람들이 많아서 꼭 아침에 갑니다.

① (가)-(나)-(다)-(라)　② (가)-(나)-(라)-(다)
③ (가)-(다)-(라)-(나)　④ (가)-(라)-(나)-(다)

58.

(가) 왜냐하면 10분쯤 걸었을 때 아들 집을 찾는 할머니를 만났습니다.
(나) 저는 매일 회사까지 걸어서 출근합니다.
(다) 길을 잘 모르는 할머니를 아들 집까지 모시고 갔습니다.
(라) 집에서 회사까지 20분 걸리는데 오늘은 40분이 걸렸습니다.

① (나)-(다)-(라)-(가)　② (나)-(라)-(다)-(가)
③ (나)-(라)-(가)-(다)　④ (나)-(가)-(라)-(다)

※ [59~60] **다음을 읽고 물음에 답하십시오.**

지난 크리스마스에 우리 가족은 서울로 여행을 갔습니다. (㉠) 서울에서 시티투어 버스를 탔습니다. (㉡) 이 버스는 일반 버스와 달랐습니다. (㉢) 그리고 차에서 내려 구경도 했습니다. (㉣) 실제로 보기 전에 차에서 여러 가지 설명을 듣고 구경할 수 있어 참 좋았습니다.

59. 다음 문장이 들어갈 곳을 고르십시오.

대형 텔레비전이 있어서 유명한 장소를 지날 때마다 안내 설명을 해 줬습니다.

① ㉠ ② ㉡ ③ ㉢ ④ ㉣

60. 이 글의 내용과 같은 것을 고르십시오.

① 시티투어 버스를 타고 서울에 갔습니다.
② 시티투어 버스에서 유명한 장소를 먼저 봤습니다.
③ 시티투어 버스에서 내리지 않고 구경을 했습니다.
④ 시티투어 버스에는 큰 텔레비전이 여러 대 있었습니다.

※ [61~62] **다음을 읽고 물음에 답하십시오.**

여름 바다로 부산 해운대가 아주 유명합니다. 많은 사람이 여름에 시원한 바닷가에서 휴가를 보내려고 부산으로 갑니다. 한국 사람뿐만 아니라 외국 사람도 많이 옵니다. 또 매년 10월에는 '부산국제영화제' 가 (㉠) 세계적으로 유명한 영화배우와 감독을 볼 수 있습니다.

61. ㉠에 들어갈 알맞은 말을 고르십시오.

① 열려서　　② 넓어서

③ 많아서　　④ 높아서

62. 이 글의 내용과 같은 것을 고르십시오.

① 부산 해운대는 여름 휴가 장소로 유명합니다.

② 여름 휴가철에 부산 해운대에는 사람들이 적습니다.

③ 부산 해운대는 외국 사람들이 많이 가지 않는 곳입니다.

④ 여름에 부산 해운대에 가면 국제영화제를 볼 수 있습니다.

※ [63~64] **다음을 읽고 물음에 답하십시오.**

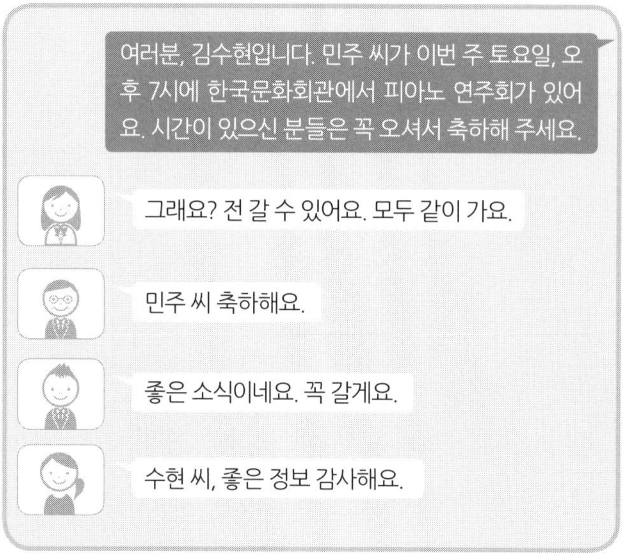

여러분, 김수현입니다. 민주 씨가 이번 주 토요일, 오후 7시에 한국문화회관에서 피아노 연주회가 있어요. 시간이 있으신 분들은 꼭 오셔서 축하해 주세요.
그래요? 전 갈 수 있어요. 모두 같이 가요.
민주 씨 축하해요.
좋은 소식이네요. 꼭 갈게요.
수현 씨, 좋은 정보 감사해요.

63. 수현 씨는 왜 이 글을 썼습니까?

① 연주회에 대해 알고 싶어서

② 연주회에 오신 분들에게 감사해서

③ 민주 씨를 연주회에 초대하고 싶어서

④ 사람들에게 연주회 소식을 알리기 위해서

64. 이 글의 내용과 같은 것을 고르십시오.

① 민주 씨는 이번 주에 연주회를 잘 했습니다.

② 수현 씨는 연주회 소식을 알리고 싶었습니다.

③ 민주 씨는 연주회 전에 사람들을 만났습니다.

④ 수현 씨는 연주회에서 직접 피아노를 연주했습니다.

※ **[65~66] 다음을 읽고 물음에 답하십시오.**

> 우리 얼굴에서 눈 위의 털을 눈썹이라고 한다. 눈썹은 우리의 눈을 보호해 준다. 하지만 요즈음은 사람들의 인상을 (㉠) 역할도 한다. 사람들은 외출하기 전에 긴 시간 눈썹 화장에 시간을 들인다. 또 어떤 사람은 강한 인상을 주기 위해 성형 수술까지 한다. 그래서 사람들은 눈썹을 보호의 기능보다는 미용으로 더 많은 관심을 가진다.

65. ㉠에 들어갈 알맞은 말을 고르십시오.

① 쓰는 ② 읽는

③ 부르는 ④ 결정짓는

66. 이 글의 내용과 같은 것을 고르십시오.

① 눈썹은 우리의 얼굴을 보호합니다.

② 사람들은 짧은 시간에 눈썹 화장을 합니다.

③ 사람들은 외출한 후 눈썹 화장을 꼭 합니다.

④ 눈썹은 미용의 기능으로 더 중요하게 되었습니다.

※ [67~68] **다음을 읽고 물음에 답하십시오.**

> 요즘 버스나 지하철에서 스마트폰 들고 있는 사람들을 (㉠) 볼 수 있습니다. 스마트폰이 있는 사람들은 지하철이나 버스를 타면 대부분 스마트폰을 꺼냅니다. 그리고 뉴스나 드라마를 보거나 게임을 합니다. 또 문자를 보내고 SNS에 글을 남기기도 합니다. 하지만 20년 전 대부분 사람들은 버스 안에서 책이나 신문을 (㉡).

67. ㉠에 알맞은 것을 고르십시오.

① 많이 ② 먼저
③ 거의 ④ 조금

68. ㉡에 알맞은 것을 고르십시오.

① 들고 있습니다 ② 들고 있겠습니다
③ 들고 있었습니다 ④ 들고 있을 겁니다

※ [69~70] **다음을 읽고 물음에 답하십시오.**

영희의 블로그에는 여러 가지 사진이 많이 있습니다. 하지만 영희가 직접 찍은 사진은 거의 없습니다. 인터넷에서 사진을 모아 그림 프로그램을 이용해 조금씩 사진을 바꿉니다. 그리고 블로그에 다시 (　　㉠　　) 것들이 대부분입니다. 때로는 사람들의 얼굴을 재미있게 바꾸기도 합니다. 그래서 좋아하는 배우의 사진에 친구의 얼굴을 재미있게 만들어 친구에게 보내 주기도 합니다.

69. ㉠에 들어갈 알맞은 말을 고르십시오.

① 올린　　② 보낸

③ 바뀐　　④ 읽은

70. 이 글의 내용으로 알 수 있는 것은 무엇입니까?

① 블로그 사진은 직접 찍지 않아야 합니다.

② 인터넷에서는 필요한 사진을 찾을 수 없습니다.

③ 사진을 직접 찍지 않아도 블로그를 할 수 있습니다.

④ 사람들은 인터넷 사진을 다른 사진으로 바꾸지 않습니다.

模擬試験 3
3회 모의고사

TOPIK Ⅰ

듣기, 읽기

・制限時間は100分（聞き取り約40分、読解約60分）です。
・「聞き取り」は、CD-ROM音声のTR11-20を使用します。
・解答用紙は巻末にあります。切り取ってお使いください。
・正解と問題ごとの配点はP.152に掲載されています。

<table>
<tr><td colspan="2">수험번호(Applicaton No.)</td><td></td></tr>
<tr><td rowspan="2">이름
(Name)</td><td>한국어(Korean)</td><td></td></tr>
<tr><td>영　어(English)</td><td></td></tr>
</table>

유 의 사 항
Information

1. 시험 시작 지시가 있을 때까지 문제를 풀지 마십시오.
   Do not open the booklet until you are allowed to start.

2. 접수번호와 이름은 정확하게 적어 주십시오.
   Write your name and application number on the answer sheet.

3. 답안지를 구기거나 훼손하지 마십시오.
   Do not fold the answer sheet; keep it clean.

4. 답안지의 이름, 접수번호 및 정답의 기입은 컴퓨터용 펜을 사용하여 주십시오.
   Use the optical mark reader(OMR) pen only.

5. 정답은 답안지에 정확하게 표시하여 주십시오.
   Mark your answer accurately and clearly on the answer sheet.

   marking example ① ● ③ ④

6. 문제를 읽을 때에는 소리가 나지 않도록 하십시오.
   Keep quiet while answering the questions.

7. 질문이 있을 때에는 손을 들고 감독관이 올 때까지 기다려 주십시오.
   When you have any questions, please raise your hand.

듣기 (1번 ~ 30번)

※ [1~4] 다음을 듣고 <보기>와 같이 물음에 맞는 대답을 고르십시오.

보기

가 : 공부를 해요?

나 : ____________________

❶ 네, 공부를 해요. ② 아니요, 공부예요.

③ 네, 공부가 아니에요. ④ 아니요, 공부를 좋아해요.

1. ① 네, 한국은행이에요. ② 네, 은행이 없어요.
   ③ 아니요, 은행에 가요. ④ 아니요, 은행에서 일해요.

2. ① 네, 방이에요. ② 네, 방이 많아요.
   ③ 아니요, 방이 좁아요. ④ 아니요, 방이 깨끗해요.

3. ① 어제 줬어요. ② 동생이 줬어요.
   ③ 인형을 줬어요. ④ 생일이라서 줬어요.

4. ① 밥을 먹어요. ② 친구와 먹어요.
   ③ 3층에 있어요. ④ 도서관 옆에 있어요.

※ [5~6] **다음을 듣고 〈보기〉와 같이 다음 말에 이어지는 것을 고르십시오.**

보기

가 : 맛있게 드세요.

나 : ____________________

① 좋겠습니다. ② 모르겠습니다.

③ 잘 지냈습니다. ❹ 잘 먹겠습니다.

5. ① 친구와 갔습니다. ② 늦게 일어났습니다.

③ 차를 타고 갔습니다. ④ 지금 가고 있습니다.

6. ① 네, 안녕하세요. ② 네, 반갑습니다.

③ 네, 잘 다녀오세요. ④ 네, 잘 지냈습니다.

※ [7~10] **여기는 어디입니까? 〈보기〉와 같이 알맞은 것을 고르십시오.**

보기

가 : 어디가 아프세요?

나 : 배가 아파요.

① 가게 ② 빵집 ❸ 병원 ④ 시장

7. ① 꽃집　② 은행　③ 우체국　④ 도서관

8. ① 교실　② 약국　③ 편의점　④ 커피숍

9. ① 학교　② 공원　③ 박물관　④ 여행사

10. ① 서점　② 식당　③ 백화점　④ 운동장

※ [11~14] 다음은 무엇에 대해 말하고 있습니까? <보기>와 같이 알맞은 것을 고르십시오.

보기

가 : 누구예요?

나 : 이 사람은 형이고, 이 사람은 동생이에요.

❶ 가족　② 이름　③ 고향　④ 소포

11. ① 요리　② 가격　③ 직업　④ 취미

12. ① 건강　② 계획　③ 날씨　④ 주말

13. ① 방학　② 장소　③ 약속　④ 휴일

14. ① 선물　② 계절　③ 과일　④ 날짜

※ [15~16] 다음 대화를 듣고 알맞은 그림을 고르십시오.

15. ①

②

③

④

16. ①

②

③

④

※ **[17~21] 다음을 듣고 <보기>와 같이 대화 내용과 같은 것을 고르십시오.**

보기

남자 : 요즘 한국어를 공부해요?

여자 : 네, 한국 친구한테서 한국어를 배워요.

① 남자는 학생입니다. ② 여자는 학교에 다닙니다.

③ 남자는 한국어를 가르칩니다. ❹ 여자는 한국어를 공부합니다.

17. ① 여자는 오늘 저녁을 살 겁니다.
② 여자는 한국 회사에 다닐 겁니다.
③ 남자는 한국 회사에 취직했습니다.
④ 남자는 여자의 취직을 축하하지 않습니다.

18. ① 남자는 서울은행에 가려고 합니다.
② 남자는 길을 몰라서 물어보고 있습니다.
③ 여자는 한국병원 가는 길을 알지 못합니다.
④ 여자는 지금 한국병원에 가고 싶어 합니다.

19. ① 여자는 영화관에 있습니다.
② 남자는 25열에 앉아야 합니다.
③ 남자는 좌석을 잘못 앉았습니다.
④ 여자는 남자의 자리에 앉아 있습니다.

20. ① 여자는 어제 바지를 샀습니다.
② 여자는 바지를 바꾸러 왔습니다.
③ 남자는 산 바지가 마음에 듭니다.
④ 남자는 바지를 환불하고 싶어 합니다.

21. ① 남자는 지금 공항에 있습니다.
② 여자는 창가 쪽 자리를 원합니다.
③ 여자는 밤 9시에 미국에서 출발합니다.
④ 남자는 7시까지 비행기에 타야 합니다.

※ [22~24] 다음을 듣고 대화 내용과 같은 것을 고르십시오.

22. ① 여자는 통신 회사에서 일합니다.
② 남자는 국제전화를 세 번 했습니다.
③ 남자는 여자의 전화를 받았습니다.
④ 남자는 핸드폰 요금이 많이 나왔습니다.

23. ① 남자는 한국대역에서 내렸습니다.
② 여자는 서류 봉투를 찾지 못했습니다.
③ 여자는 지하철 유실물센터에 있습니다.
④ 남자는 중요한 서류를 잃어버렸습니다.

24. ① 여자는 2만 원을 내야 합니다.
② 남자는 선물을 받을 수 있습니다.
③ 남자는 지금 표를 사고 있습니다.
④ 여자는 어린이 요금은 내지 않아도 됩니다.

※ [25~26] **다음을 듣고 물음에 답하십시오.**

25. 어떤 이야기를 하고 있는지 고르십시오.
① 초대 ② 경고 ③ 소개 ④ 안내

26. 들은 내용과 같은 것을 고르십시오.
① 사고가 나서 차가 많이 막힙니다.
② 여의도 방향은 빨리 갈 수 있습니다.
③ 서울역 근처는 길이 막히지 않습니다.
④ 오후의 교통 정보를 알려 주고 있습니다.

※ [27~28] **다음을 듣고 물음에 답하십시오.**

27. 두 사람이 무엇에 대해 이야기하고 있는지 고르십시오.
① 방학 계획 ② 주말에 한 일
③ 좋아하는 축제 ④ 보고 싶은 전시회

28. 들은 내용과 같은 것을 고르십시오.

① 여자는 예쁜 컵과 접시를 샀습니다.

② 여자는 꽃 전시회에 갔다 왔습니다.

③ 남자는 도자기 축제에 다녀왔습니다.

④ 남자는 주말을 가족과 함께 보냈습니다.

※ **[29~30] 다음을 듣고 물음에 답하십시오.**

29. 여자는 지금 왜 여기에 왔습니까?

① 지갑을 맡겨서

② 지갑을 습득해서

③ 지갑이 바뀌어서

④ 지갑을 분실해서

30. 들은 내용과 같은 것을 고르십시오.

① 남자는 지갑을 잃어버렸습니다.

② 여자는 지금 경찰서에 있습니다.

③ 남자는 어제 지갑을 주웠습니다.

④ 여자는 내일 지갑을 찾으러 올 겁니다.

읽기 (31번 ~ 70번)

※ [31~33] 다음은 무엇에 대한 이야기입니까? 〈보기〉와 같이 알맞은 것을 고르십시오.

보기

덥습니다. 바다에서 수영합니다.

❶ 여름　　② 날씨　　③ 나이　　④ 나라

31.

서울은 너무 덥습니다. 부산은 따뜻합니다.

① 날짜　　② 고향　　③ 가족　　④ 날씨

32.

아버지는 쉰 두 살입니다. 저는 스물 네 살입니다.

① 나이　　② 요일　　③ 나라　　④ 식사

33.

민호 씨와 유키 씨는 아주 친합니다. 그래서 서로 잘 압니다.

① 휴가　　② 운동　　③ 친구　　④ 수업

※ [34~39] <보기>와 같이 (　　)에 들어갈 제일 알맞은 것을 고르십시오.

> **보기**
>
> 날씨가 좋습니다. (　　　　)이 맑습니다.
>
> ① 눈　　② 밤　　❸ 하늘　　④ 구름

34.

> 밥(　　) 김치를 먹어요.

① 로　　② 를　　③ 과　　④ 의

35.

> 염색을 할 겁니다. (　　　　)에 갑니다.

① 영화관　　② 미용실　　③ 커피숍　　④ 노래방

36.

> 어제 우리 아이의 학교에서 일일 교사로 일했습니다. 학생들에게 베트남어를 (　　　　).

① 만들었습니다　　② 가르쳤습니다

③ 요리했습니다　　④ 노래했습니다

37.

회사가 (　　　　　). 그래서 매일 걸어서 갑니다.

① 가볍습니다　　② 더럽습니다
③ 가깝습니다　　④ 어둡습니다

38.

지금 가도 사장님을 만날 수 없습니다. 10분만 쉬고 (　　　　) 갑시다.

① 주로　② 아까　③ 다행히　④ 천천히

39.

몸이 너무 뚱뚱해요. 그래서 태권도 동아리에 (　　　　　).

① 뛰었어요　　② 신고했어요
③ 등록했어요　　④ 운동했어요

※ [40~42] **다음을 읽고 맞지 <u>않는</u> 것을 고르십시오.**

40.

사계절이 아름다운 제주도로 갑시다!

¤ 기간 : 2014년 5월 3일 ~ 6일(3박 4일)
¤ 모이는 곳 : 문화센터 앞
¤ 참가비 : 200,000원
¤ 문의 : 02-123-4568(문화팀 담당자)

● ○○문화센터 ●

① 여행 기간은 모두 사 일입니다.

② 사람들은 문화센터 앞에서 만납니다.

③ 여행을 가려면 20만 원이 필요합니다.

④ 궁금한 것이 있을 때 여행팀에 전화합니다.

41.

한국대학 도서관	
4층	휴게실
3층	신문 열람실, 잡지 열람실
2층	노트북, 컴퓨터 사용
1층	대출, 안내
지하 1층	주차장

① 책을 빌리려면 2층에 갑니다.

② 쉬고 싶으면 4층으로 갑니다.

③ 3층에서 신문을 볼 수 있습니다.

④ 주차하려면 지하 1층으로 갑니다.

42.

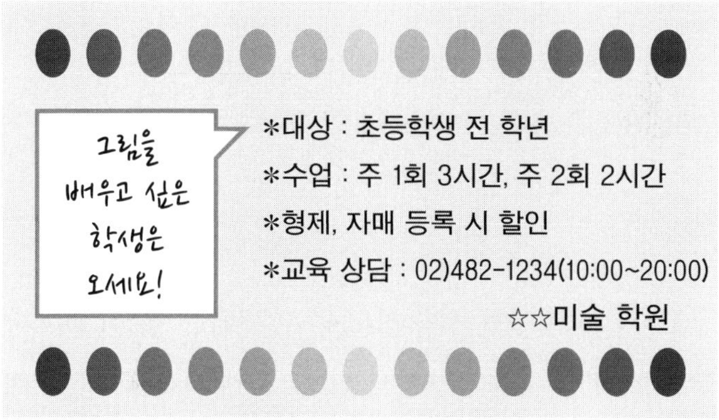
그림을
배우고 싶은
학생은
오세요!
*대상 : 초등학생 전 학년
*수업 : 주 1회 3시간, 주 2회 2시간
*형제, 자매 등록 시 할인
*교육 상담 : 02)482-1234(10:00~20:00)
☆☆미술 학원

① 오후 6시에도 상담을 받을 수 있습니다.

② 형제가 같이 등록하면 할인을 받습니다.

③ 미술학원 수업 시간을 선택할 수 있습니다.

④ 6학년 학생은 미술학원에 등록할 수 없습니다.

※ [43~45] **다음의 내용과 같은 것을 고르십시오.**

43.

오늘 저녁을 먹고 남편과 함께 문화센터에 갔습니다. 남편은 건강을 위해 요가 수업에 등록했습니다. 저는 신나는 노래 수업을 신청했습니다.

① 저는 노래 수업을 등록했습니다.
② 오늘 점심 때 문화센터에 갔습니다.
③ 문화센터에 등록하고 저녁을 먹었습니다.
④ 남편은 건강 때문에 노래 수업을 신청했습니다.

44.

어제는 여자 친구의 생일이었습니다. 기타를 못 치지만 여자 친구를 위해 치고 싶었습니다. 한 달 동안 매일 기타를 연습해서 생일날 기타를 쳤습니다.

① 저는 기타 치는 것을 좋아합니다.
② 저는 어제 생일 축하를 받았습니다.
③ 저는 매일 연습해서 기타를 잘 칩니다.
④ 저는 여자 친구 생일에 기타를 연주했습니다.

45.

매주 월요일 영화 동아리 모임이 있습니다. 동아리에서는 영화 한 편을 보고 그 영화에 대해 이야기를 합니다. 다음 주 토요일에는 특강으로 유명한 감독님을 초대해서 영화 만드는 이야기를 들을 겁니다.

① 매주 토요일에 모여서 영화를 봅니다.
② 매주 동아리에서 영화를 보고 이야기를 합니다.
③ 다음 주 토요일에는 유명한 감독님의 영화를 봅니다.
④ 매주 영화를 보기 전에 그 영화에 대해 이야기합니다.

※ [46~48] **다음을 읽고 중심 생각을 고르십시오.**

46.

록 콘서트에 가면 스트레스를 풀 수 있습니다. 가수가 부르는 노래를 따라 부르면서 소리도 지릅니다. 그러면 쌓였던 스트레스가 날아가는 것 같습니다.

① 가수가 되고 싶으면 콘서트에 가야 합니다.
② 저는 가수가 노래 부르는 것을 보고 싶습니다.
③ 스트레스를 풀기 위해 콘서트에 갑니다.
④ 가수가 부르는 노래를 같이 해야 잊어버리지 않습니다.

47.

우리 누나는 승무원이어서 비행기를 자주 탑니다. 지난주에는 제주도에 갔고 이번 주는 해외에 갑니다. 누나 덕분에 우리 가족도 비행기를 탈 때 조금 싼 가격에 표를 살 수 있습니다.

① 저는 누나가 승무원이어서 좋습니다.

② 저는 누나와 이야기하고 싶습니다.

③ 승무원은 비행기를 자주 타야 합니다.

④ 우리 누나는 비행기를 많이 타고 싶어 합니다.

48.

아침에 시장에서 사과 한 상자를 샀습니다. 저녁에 가족과 함께 사과를 먹으려고 상자를 열었는데 썩은 사과가 많았습니다. 그래서 내일 다시 시장에 가서 다른 사과로 교환할 겁니다.

① 저는 시장에 가는 것이 좋습니다.

② 저는 사과를 바꾸러 시장에 갈 겁니다.

③ 저는 사과를 먹으러 시장에 갈 겁니다.

④ 저는 가족과 함께 사과를 먹는 것이 좋습니다.

※ [49~50] **다음을 읽고 물음에 답하십시오.**

새 책이 아닌 다른 사람들이 읽은 책을 (　　㉠　　) 할 수 있습니다. 필요 없는 책을 버리지 않고 중고 책방에 팔면 필요한 사람이 싼 가격으로 사 갑니다.

49. ㉠에 들어갈 알맞은 말을 고르십시오.

① 사고 팔고　② 듣고 읽고

③ 보고 듣고　④ 사고 버리고

50. 이 글의 내용과 같은 것을 고르십시오.

① 필요 없는 책은 꼭 버려야 한다.

② 이미 읽은 책을 싸게 살 수 있다.

③ 이미 읽은 책은 다시 팔 수 없다.

④ 중고 책방은 새 책을 파는 곳이다.

※ **[51~52] 다음을 읽고 물음에 답하십시오.**

저는 아침에 바나나와 사과를 매일 먹습니다. 아침에 과일을 먹으면 몸에 좋습니다. 사람의 몸에 필요한 것이 (　　㉠　　) 때문입니다. 또 비타민 약보다 신선한 과일을 먹는 것이 좋기 때문입니다. 그래서 건강을 위해 아침에 과일을 먹는 것은 꼭 필요합니다.

51. ㉠에 들어갈 알맞은 말을 고르십시오.

① 없기　② 들어 있기

③ 부족하기　④ 낭비하기

52. 무엇에 대한 이야기입니까? 알맞은 것을 고르십시오.

① 아침에 과일을 먹는 곳

② 아침에 과일을 먹는 이유

③ 아침에 과일을 먹는 방법

④ 아침에 과일을 만드는 방법

※ **[53~54] 다음을 읽고 물음에 답하십시오.**

글을 읽지 못하는 아이에게 엄마는 책을 읽어 줍니다. 아이는 이야기를 (　　㉠　　) 책의 그림을 보며 생각하게 됩니다. 가장 친근하고 편안한 엄마의 목소리를 자주 들려 주면 아이의 성격에도 좋은 영향을 줄 수 있습니다.

53. ㉠에 들어갈 알맞은 말을 고르십시오.

① 자면서　　② 들으면서

③ 먹으면서　　④ 만들면서

54. 이 글의 내용과 같은 것을 고르십시오.

① 엄마는 글을 읽지 못합니다.

② 아이는 그림책을 좋아합니다.

③ 아이는 엄마의 목소리를 싫어합니다.

④ 편안한 엄마의 목소리는 아이들에게 좋습니다.

※ **[55~56] 다음을 읽고 물음에 답하십시오.**

> 아빠! 오늘은 엄마의 생신이에요. 오늘 저녁에 엄마 모르게 깜짝 파티를 할 거예요. 선물과 케이크는 오빠와 제가 준비할게요. 아빠는 회사 끝나고 일찍 와 주세요. 오실 때 버스 정류장에 내려서 전화해 주세요. (　㉠　) 저희들이 파티 준비를 시작할게요.
>
> — 사랑하는 딸이 —

55. ㉠에 들어갈 알맞은 말을 고르십시오.

① 그러면　② 그리고
③ 그러나　④ 그래서

56. 이 글의 내용과 같은 것을 고르십시오.

① 이 가족은 모두 세 명입니다.
② 엄마는 생일 파티를 알지 못합니다.
③ 아빠는 아들과 함께 케이크를 살 겁니다.
④ 딸은 아빠와 함께 생일 선물을 살 겁니다.

※ [57~58] **다음을 순서대로 맞게 나열한 것을 고르십시오.**

57.

(가) 시내 곳곳에 자전거 길이 있어서 안전합니다.
(나) 그런데 요즘에는 자전거를 공원에서만 타지 않습니다.
(다) 저는 지난주 토요일에 공원에 가서 자전거를 탔습니다.
(라) 아버지도 출근하실 때 그 길로 자전거를 타고 가십니다.

① (다)-(나)-(가)-(라)　② (다)-(나)-(라)-(가)
③ (다)-(가)-(라)-(나)　④ (다)-(라)-(나)-(가)

58.

(가) 점심때가 되어 맛있는 칼국수를 먹고 집으로 돌아왔습니다.
(나) 오늘은 우리 아파트 알뜰 시장이 열리는 날입니다.
(다) 시장은 매주 금요일 아침 901동 앞에서 열립니다.
(라) 엄마와 저는 시장에 가서 구경도 하고 과일도 샀습니다.

① (나)-(다)-(라)-(가)　② (나)-(라)-(다)-(가)
③ (나)-(라)-(가)-(다)　④ (나)-(가)-(라)-(다)

※ **[59~60] 다음을 읽고 물음에 답하십시오.**

> 지난주 목요일에 우리 가족은 서울 근처 경기도에 있는 성지 리조트에 갔습니다. (㉠) 성지 리조트는 스키장으로 유명합니다. (㉡) 우리가 갔을 때는 주말이 아니라 빈방이 많았습니다. (㉢) 그래서 우리는 예약한 방보다 더 큰 방을 얻었습니다. (㉣) 방은 스키장 바로 앞에 있어서 전망이 아주 좋았습니다.

59. 다음 문장이 들어갈 곳을 고르십시오.

> 사람들도 별로 많지 않았습니다.

① ㉠　② ㉡　③ ㉢　④ ㉣

60. 이 글의 내용과 같은 것을 고르십시오.

① 성지 리조트는 서울에 있습니다.

② 성지 리조트는 예약이 많은 것으로 유명합니다.

③ 성지 리조트는 주말에는 사람들이 많지 않습니다.

④ 우리 가족은 예약한 방보다 더 큰 방에서 지냈습니다.

※ [61~62] **다음을 읽고 물음에 답하십시오.**

겨울이 되면 태화강에는 따뜻한 겨울을 (㉠) 새들이 찾아옵니다. 올해는 작년보다 더 많은 새들이 이곳을 찾아 왔습니다. 수많은 새 중에서 5만 마리쯤이 태화강에서 겨울을 보냅니다. 이렇게 많은 새가 찾아오는 이유는 날씨도 좋고 먹이를 구하기 쉽기 때문입니다.

61. ㉠에 들어갈 알맞은 말을 고르십시오.

① 찾기 위해　② 지내기 위해
③ 구하기 위해　④ 날아가기 위해

62. 이 글의 내용과 같은 것을 고르십시오.

① 태화강은 겨울에 아주 춥습니다.
② 태화강은 먹이를 구하기 쉬운 곳입니다.
③ 새들은 태화강에서 가을과 겨울을 보냅니다.
④ 올해는 태화강에 4만 마리의 새들이 찾아왔습니다.

※ [63~64] **다음을 읽고 물음에 답하십시오.**

전 직원 공지

김수현: 안녕하세요. 김수현입니다. 이번 주 토요일 9시부터 5시까지 야유회가 있습니다. 참석이 가능한 분 답글 달아 주세요.

박명수: 박명수, 참석합니다. 저는 참석할 수 있어요.

유림: 홍보팀은 한 명을 빼고 모두 참석 가능합니다. 이영희 씨는 아버지께서 수술을 하십니다.

보내기

63. 수현 씨는 왜 이 글을 썼습니까?

① 야유회에 대해 설명하기 위해서

② 야유회의 참석을 알아보기 위해서

③ 야유회의 장소를 알려 주기 위해서

④ 야유회에 가는 방법을 알려 주기 위해서

64. 이 글의 내용과 같은 것을 고르십시오.

① 박명수 씨는 야유회에 갑니다.

② 홍보팀은 모두 야유회에 갑니다.

③ 야유회는 주말 아침부터 밤까지 합니다.

④ 이영희 씨의 수술은 야유회 날에 있습니다.

※ **[65~66] 다음을 읽고 물음에 답하십시오.**

(　　㉠　　) 사람들의 운동 방법이 다릅니다. 날씨가 따뜻한 봄에는 밖에서 하는 운동을 많이 합니다. 자전거 타기, 걷기, 배드민턴 등 햇빛과 바람을 맞으며 움직임이 큰 운동을 합니다. 반대로 겨울에는 날씨가 추워서 실내에서 운동을 합니다. 그래서 사람들은 헬스클럽에 많이 등록합니다.

65. ㉠에 들어갈 알맞은 말을 고르십시오.

① 이름에 따라　　② 기구에 따라

③ 운동량에 따라　　④ 계절에 따라

66. 이 글의 내용과 같은 것을 고르십시오.

① 사람들은 봄에 자전거를 많이 탑니다.

② 배드민턴은 움직임이 작은 운동입니다.

③ 사람들은 봄에 헬스클럽에 많이 갑니다.

④ 사람들은 겨울에 밖에서 운동을 합니다.

※ [67~68] **다음을 읽고 물음에 답하십시오.**

> 요즘 학교에서는 선배들이 입은 교복을 후배들에게 물려주는 전통이 생겼습니다. 후배들은 교복을 (㉠) 사지 않고 물려 입어서 교복비를 절약할 수 있습니다. 또 선배는 후배에게 줄 생각으로 교복을 함부로 입지 않아서 마음가짐도 달라집니다. 우리 아들도 이번에 고등학교에 입학해서, 졸업하는 학교 선배에게 교복을 부탁했습니다. 이번 주 일요일에 교복을 (㉡).

67. ㉠에 알맞은 것을 고르십시오.

① 금방 ② 가끔

③ 새로 ④ 벌써

68. ㉡에 알맞은 것을 고르십시오.

① 받기로 했습니다 ② 받을지 모릅니다

③ 받을 모양입니다 ④ 받은 적이 있습니다

3회 모의고사

※ [69~70] **다음을 읽고 물음에 답하십시오.**

작년 설날에 고향에 (㉠) 부모님을 뵈러 갔습니다. 오랜만에 부모님 집에 와서 그런지 평소에 건강한 내가 목감기에 걸려 많이 아팠습니다. 설날이라서 병원이나 약국이 문을 열지 않았습니다. 그때 아버지께서 소금물을 가져오셨습니다. 소금물로 여러 번 입 안에 넣고 뱉는 것을 반복하니 신기하게도 좋아졌습니다. 약을 전혀 먹지 않았는데 다음 날 목이 아프지 않았습니다.

69. ㉠에 들어갈 알맞은 말을 고르십시오.

① 계시는　　② 가시는

③ 내려가시는　　④ 돌아오시는

70. 이 글의 내용으로 알 수 있는 것은 무엇입니까?

① 부모님은 설날에 병원에 갈 겁니다.

② 아버지께서는 약국에서 일하십니다.

③ 소금물은 감기를 낫게 할 수 있습니다.

④ 저는 설날에 약국이나 병원에 가는 것이 싫습니다.

模擬試験 1

1회 모의고사

解答・解説・訳

模擬試験 1　解答

※左の数字は問題番号、丸数字は正解、右の数字は配点です。

聞き取り

1	①	4
2	②	4
3	④	3
4	③	3
5	①	4
6	①	3
7	③	3
8	②	3
9	①	3
10	③	4
11	②	3
12	①	3
13	②	4
14	③	3
15	③	4
16	②	4
17	④	3
18	④	3
19	①	3
20	①	3
21	②	3
22	③	3
23	②	3
24	④	3
25	③	3
26	④	4
27	②	3
28	②	4
29	①	3
30	④	4

読解

31	②	2
32	③	2
33	④	2
34	③	2
35	④	2
36	③	2
37	④	3
38	①	3
39	①	2
40	②	3
41	①	3
42	①	3
43	④	3
44	②	2
45	②	3
46	③	3
47	②	3
48	①	2
49	③	2
50	②	2
51	①	3
52	②	2
53	④	2
54	③	3
55	④	2
56	②	3
57	②	2
58	②	3
59	③	2
60	④	3
61	④	2
62	③	2
63	①	2
64	①	3
65	④	2
66	②	3
67	③	3
68	②	3
69	④	3
70	①	3

模擬試験 1　解説・訳

※聞き取り問題の場合、解説の前に音声のスクリプトを掲載しました。

聞き取り

［1-4］ 다음을 듣고 <보기>와 같이 물음에 맞는 대답을 고르십시오. TR 11

1. 남자: 이것이 빵이에요?

正解：①네, 빵이에요.

解説：N이에요?/예요?で質問された場合、答えが肯定なら네, N이에요/예요、否定なら아니요, N이/가 아니에요で答える。

> ［1-4］次の音声を聞いて、例のように適切な答えを選びなさい。
> 1. 男：これはパンですか?
> ①はい、パンです。　②はい、パンがありません。
> ③いいえ、パンを買います。　④いいえ、パンが好きです。

2. 여자: 가방이 비싸요?

正解：②네, 가방이 비싸요.

解説：かばんが高いかどうかを聞いている。高いなら네, 가방이 비싸요（はい、かばんは高いです）、高くないなら아니요, 가방이 싸요（いいえ、かばんは安いです）になる。

> 2. 女：かばんは高いですか?
> ①はい、かばんです。　②はい、かばんが高いです。
> ③いいえ、かばんがたくさんあります。　④いいえ、かばんがあります。

3. 여자: 어디에서 공부했어요?

正解：④도서관에서 공부했어요.

解説：어디（どこ）は場所を問う疑問詞なので、場所を示す答えを探せば良い。

> 3. 女：どこで勉強しましたか?
> ①昨日勉強しました。　②韓国語を勉強しました。
> ③友達と勉強しました。　④図書館で勉強しました。

4. 남자: 여동생이 몇 살이에요?

正解：③**열아홉 살이에요.**

解説：**몇**（いくつ）は数を問う疑問詞。後ろの**살**（歳）という助数詞と併せて聞き取ることが重要。年齢を答えているものを選べば良い。

> 4. 男：妹は何歳ですか?
> ①とてもきれいです。　②私の妹です。
> ③19歳です。　④写真で見ました。

［5-6］ 다음을 듣고 〈보기〉와 같이 다음 말에 이어지는 것을 고르십시오. TR 12

5. 여자: 저기가 병원입니까?

正解：①**네, 병원입니다.**

解説：**N입니까?**で質問された場合、答えが肯定なら**네, N입니다**、否定なら**아니요, N이/가 아닙니다**で答える。

> **[5-6]** 次の音声を聞いて、例のように次に続くものを選びなさい。
> 5. 女：あそこが病院ですか?
> ①はい、病院です。　②はい、病院に行きます。
> ③いいえ、病院があります。　④いいえ、病院で仕事します。

6. 남자: 미안합니다.

正解：①**괜찮습니다.**

解説：**미안합니다**（ごめんなさい）は謝罪の言葉なので、それに対する答えを選ぶ。

> 6. 男：ごめんなさい。
> ①大丈夫です。　②こんにちは。
> ③ありがとうございます。　④うれしいです。

［7-10］ 여기는 어디입니까? 〈보기〉와 같이 알맞은 것을 고르십시오. TR 13

7. 여자: 무슨 일로 오셨어요?

남자: 편지를 보내러 왔어요.

正解：③**우체국**

解説：**무슨 일로**（どんなご用件で）と聞かれたのに対して、**편지를 보내러**（手紙を出

しに）と答えていることを聞き取る必要がある。무슨 일はㄴ挿入が起きて［무슨닐］と発音されることに注意。手紙を出すことができる場所は③우체국（郵便局）である。

［7-10］ここはどこですか？　例のように適切なものを選びなさい。
7. 女：どんなご用件ですか？
男：手紙を出しに来ました。
①食堂　②学校　③郵便局　④コンビニ

8. 남자: 통장을 만들고 싶어요.
여자: 여기에 이름과 주소를 쓰세요.

正解：②은행

解説：통장（通帳）という単語を聞き取ることが重要。通帳を作ることができる場所は②은행（銀行）。

8. 男：通帳を作りたいです。
女：ここに名前と住所を書いてください。
①花屋　②銀行　③博物館　④映画館

9. 여자: 요즘 어떤 책이 인기가 많아요?
남자: 이쪽으로 오세요.

正解：①서점

解説：女性が、어떤 책이 인기가 많아요?（どんな本が人気がありますか?）と尋ねている。책（本）が聞き取れれば、①서점（本屋）が答えであることが分かる。

9. 女：最近どんな本が人気がありますか？
男：こちらへどうぞ。
①本屋　②劇場　③カフェ　④美容室

10. 남자: 이 옷 다른 색으로 바꾸고 싶어요.
여자: 네, 어떤 색으로 드릴까요?

正解：③백화점

解説：옷（服）と바꾸다（交換する）が聞き取れれば、買った服を他の服に交換するという内容が分かる。買った服を交換できる場所は③백화점（デパート）しかない。

10. 男：この服、他の色に交換したいです。
女：はい、何色になさいますか?
①空港　②薬局　③デパート　④図書館

［**11-14**］ 다음은 무엇에 대해 말하고 있습니까? 〈보기〉와 같이 알맞은 것을 고르십시오. TR 14

11. 여자: 실례합니다. 버스 정류장이 어디에 있습니까?
남자: 길 건너편에 있습니다.

正解：②**장소**

解説：**어디**（どこ）という疑問詞から、場所について話していることが分かる。

［**11-14**］次の音声では何について話をしていますか?　例のように適切なものを選びなさい。
11. 女：すみません。バス停はどこにありますか?
男：道の向こう側にあります。
①休日　②場所　③学期休み　④旅行

12. 남자: 오늘 같이 테니스를 칠래요?
여자: 저도 테니스를 좋아해요. 같이 쳐요.

正解：①**운동**

解説：一緒に**테니스**（テニス）をしないかと提案しているので、①**운동**（運動）であると分かる。**테니스를 치다**（テニスをする）のように、動詞とセットで聞き取れると良い。

12. 男：今日、一緒にテニスをしませんか?
女：私もテニスが好きです。一緒にしましょう。
①運動　②物　③果物　④交通

13. 남자: 이사 언제 할 겁니까?
여자: 5월 17일에 할 겁니다.

正解：②**날짜**

解説：**언제**（いつ）という疑問詞と、その答えの**5월 17일**（5月17日）で、日付についての話であると分かる。日付を表す～**월**（月）や～**일**（日）は、数詞が付いた形を聞き取れるようにすることが重要。

13. 男：いつ引っ越しするんですか？
女：5月17日にするつもりです。
①曜日　②日付　③職業　④住所

14. 남자: 이 지갑은 얼마입니까?
여자: 할인해서 2만 원입니다.

正解：③가격

解説：**얼마입니까?**（いくらですか？）を聞き取り、さらに**할인해서**（割引して）、もしくは**2만 원**（2万ウォン）を聞き取れれば、価格についての話であると分かる。

14. 男：この財布はいくらですか？
女：割引して2万ウォンです。
①プレゼント　②趣味　③価格　④計画

[15-16] 다음 대화를 듣고 알맞은 그림을 고르십시오. TR 15

15. 여자: 제 지갑 봤어요?
남자: 저기 책상 위에 있어요.

正解：③

解説：男性の**저기**（あそこ）という発言から、男性が遠くを指差している③が正解だと分かる。

[15-16] 次の会話を聞いて、適切な絵を選びなさい。
15. 女：私の財布見ましたか？
男：あそこの机の上にあります。

16. 여자: 아저씨, 이 버스 한국대학교로 가요?
남자: 네, 갑니다. 빨리 타세요.

正解：②

解説：女性の質問に答えた後の**빨리 타세요**（急いで乗ってください）という発言から、女性がまだバスに乗っていないことが分かる。また、**이 버스**（このバス）とも言っているので、バスのすぐ近くで運転手と会話している②の絵が正解である。

16. 女：おじさん、このバスは韓国大学へ行きますか？
男：はい、行きます。急いで乗ってください。

［17-21］다음을 듣고 <보기>와 같이 대화 내용과 같은 것을 고르십시오. TR 16

17. 남자: 내일 제 생일 파티에 올 수 있어요?

여자: 그럼요. 생일 파티에 초대해 줘서 고마워요.

正解：④**남자는 생일 파티에 여자를 초대했습니다.**

解説：**내일**（明日）、**올 수 있어요?**（来られますか?）、**그럼요**（もちろんです）の部分から、男性が女性をパーティーに招待したことが分かる。

> ［17-21］次の音声を聞いて、例のように会話の内容と同じものを選びなさい。
> 17. 男：明日、私の誕生日パーティーに来られますか?
> 女：もちろんです。招待してくれてありがとうございます。
> ①男性は誕生日パーティーをしました。
> ②女性は誕生日パーティーに行けません。
> ③女性は誕生日パーティーが好きです。
> ④男性は誕生日パーティーに女性を招待しました。

18. 여자: 실례합니다. 박물관에서는 사진을 찍으실 수 없습니다.

남자: 아 그래요? 제가 잘 몰랐습니다. 죄송합니다.

여자: 눈으로만 봐 주세요.

正解：④**남자는 지금 사진을 찍으려고 합니다.**

解説：**사진을 찍을 수 없습니다**（写真を撮ることはできません）、**죄송합니다**（すみません）というやり取りから、男性が今、写真を撮ろうとしていると分かる。

> 18. 女：失礼いたします。博物館では写真を撮ることはできません。
> 男：あ、そうですか。知りませんでした。すみません。
> 女：目でお楽しみください。
> ①女性は写真を撮っています。
> ②女性は明日博物館に行くでしょう。
> ③男性は写真を撮りたくありません。
> ④男性は今写真を撮ろうとしています。

19. 여자: 어제부터 열이 나고 기침이 심해서 잠을 잘 못 잤어요.

남자: 자, '아' 해 보세요. 목이 많이 부었군요.

여자: 기침을 많이 해서 그런 것 같아요.

남자: 우선 3일 동안 약을 먹고 계속 심하면 다시 오세요.

正解：①**여자는 기침이 나서 병원에 왔습니다.**

解説：기침이 심해서（せきがひどくて）という女性の発言から、③と④が間違いであることが分かる。また、3일 동안（3日間）と약을 먹고（薬を飲んで）から、②も間違いであり①が正解だと分かる。3일 동안（3日間）では[사밀 똥안]のように濃音化が起きるので注意。

19. 女：昨日から熱が出て、せきがひどくて寝られませんでした。
男：では、「あー」と言ってみてください。喉がとても腫れていますね。
女：せきをたくさんしたからだと思います。
男：まず、3日間薬を飲んで、ずっとひどければもう一度来てください。
①女性はせきが出て病院に来ました。
②女性は3日間病院に来なければいけません。
③男性は喉が腫れて治療を受けています。
④男性はせきをたくさんして喉が腫れました。

20. 남자: 한국 여행사입니다. 어떻게 오셨습니까?
여자: 이번 주 토요일에 중국으로 가는 비행기 표를 예약하려고 하는데요.
남자: 몇 장 예약해 드릴까요?
여자: 두 장이요. 혹시 창문 옆 자리로 가능할까요?
남자: 네. 잠시만요. 어 죄송하지만 창문 옆 자리는 한 자리밖에 없습니다. 다른 자리로 예약해 드릴까요?
여자: 음, 아니요. 생각해 보고 다시 올게요.

正解：①남자는 여행사 직원입니다.

解説：男性の여행사입니다（旅行会社です）という最初の発言が聞き取れれば、①が正解だと分かる。また、男性の어떻게 오셨습니까?（どのようなご用件ですか?）や女性の다시 올게요（また来ます）という発言から、女性が直接店に行ったことや、予約せずに帰ったことが分かる。

20. 男：韓国旅行社です。どのようなご用件ですか?
女：今週の土曜日に中国行きの航空券を予約しようと思うのですが。
男：何枚予約いたしましょうか?
女：2枚です。窓側の席は可能ですか?
男：はい。少々お待ちくださいませ。申し訳ございませんが、窓側の席は1席しかございません。他の席で予約いたしましょうか?
女：うーん、いいえ。もう一度考えて、また来ます。
①男性は旅行会社の社員です。
②女性は航空券を予約しました。

③男性は窓側の席を予約しようとしています。
④女性は電話で航空券を調べています。

21. 남자: 안녕하세요. 서비스센터입니다.
여자: 한 달 전에 라디오를 샀는데 소리가 안 나요.
남자: 죄송합니다. 언제부터 소리가 안 났습니까?
여자: 지난주요. 새것으로 바꾸고 싶어요.
남자: 고객님, 죄송합니다. 택배로 새 라디오를 보내 드리겠습니다.
여자: 네, 감사합니다.

正解 : ②여자는 새 라디오를 다시 받을 겁니다.

解説 : **한달 전에**（1カ月前に）、**지난주**（先週）、**바꾸고 싶어요**（交換したいです）、**보내 드리겠습니다**（お送りいたします）という情報から、②が正解で他の選択肢は間違いだと分かる。

21. 男 : こんにちは。サービスセンターでございます。
女 : 1カ月前にラジオを買ったのですが、音が出ません。
男 : 申し訳ございません。いつから音が出なくなりましたか?
女 : 先週です。新しい物と交換したいです。
男 : お客さま、申し訳ございません。宅配便で新しいラジオをお送りいたします。
女 : はい、ありがとうございます。
①女性は2カ月前にラジオを買いました。
②女性は新しいラジオを再び受け取るでしょう。
③女性のラジオは昨日故障しました。
④女性は自分でラジオを取りにいかなければなりません。

[22-24] 다음을 듣고 대화 내용과 같은 것을 고르십시오. TR 17

22. 남자: 도서 대출증을 만들고 싶어서 왔는데요.
여자: 아, 그러세요? 대출증을 만들려면 사진이 있어야 하는데 혹시 사진 가지고 오셨어요?
남자: 아니요. 사진이 없는데, 그럼 지금 만들 수 없나요?
여자: 네. 다음에 오실 때 사진 두 장과 신분증 또는 학생증을 꼭 가지고 오세요.

正解 : ③신분증이 없으면 대출증을 만들 수 없습니다.

解説：**지금 만들 수 없나요?** (今作れませんか?)、**네** (はい) のやりとりを聞き、作れないことを確認する。ここでは**없어요**ではなく**없나요**で、**[엄나요]** と鼻音化しているので、このような発音に慣れておく必要がある。

[22-24] 次の音声を聞いて、会話の内容と同じものを選びなさい。
22. 男：図書館カードを作りたくて来たんですが。
女：あ、そうですか。図書館カードを作るには写真がなければならないのですが、写真は持っていらっしゃいましたか?
男：いいえ。写真はないのですが、では、今作れませんか?
女：はい。次回いらっしゃるときに写真2枚と身分証か学生証を必ず持ってきてください。
①女性は図書館カードを作りました。
②女性は写真を持っています。
③身分証がないと図書館カードを作れません。
④図書館カードを作るには、写真が1枚必要です。

23. 남자: 실례합니다. 광고를 보고 왔는데요. 이 수영장에서 일하고 싶어서요.
여자: 네. 지금 수영 강사와 수영장을 청소할 사람을 찾고 있습니다.
남자: 저는 2년 전에 수영 강사로 일한 적이 있습니다. 오늘 신청서를 작성해도 됩니까?
여자: 네, 그럼 지금 신청서를 작성하시고 면접은 내일 보겠습니다.

正解：②**남자는 수영장에서 일하기를 원합니다.**

解説：**일하고 싶어서요** (働きたいと思いまして)、**수영 강사** (水泳の講師) という部分が聞き取れれば、答えは②に決まる。**일하고**はㅎが弱化して **[이라고]** のように発音される。その他、**2년 전** (2年前)、**면접** (面接) という発言から他の選択肢を除外できる。

23. 男：すみません。広告を見て来たのですが。ここのプールで働きたいと思いまして。
女：はい。今、水泳の講師と、プールを掃除してくれる人を募集しています。
男：私は2年前に水泳の講師として仕事をしていたことがあります。今日申請書を作成してもいいですか?
女：はい、では今、申請書を作成していただいて、面接は明日いたします。
①男性は去年、水泳の講師でした。
②男性はプールで働くことを望んでいます。
③水泳の講師の経験があればすぐに仕事をすることができます。
④男性はプールを掃除する仕事をしたがっています。

24. 남자: 여보세요. 한국 호텔입니다. 무엇을 도와 드릴까요?

여자: 안녕하세요? 일주일 전에 예약한 김나영인데요. 예약을 취소하려고요.

남자: 네, 잠시만 기다리세요. 손님, 죄송하지만 예약한 날로부터 3일 전에 취소하시면 취소 수수료를 내셔야 합니다.

여자: 네, 알고 있습니다.

正解：④여자는 예약을 취소하려고 전화했습니다.

解説：**취소**（キャンセル）が分かれば内容はほぼ把握できる。**일주일 전에**（1週間前に）と**3일 전에**（3日前に）の混同に注意。それぞれ直後に**예약**（予約）、**취소**（キャンセル）と言っている。また、**취소 수수료**（キャンセル料）についての発言にも注意。

> 24. 男：もしもし。韓国ホテルでございます。どういったご用件でしょうか？
> 女：こんにちは。1週間前に予約したキム・ナヨンですが。予約をキャンセルしようと思うのですが。
> 男：はい、少々お待ちください。お客さま、申し訳ありませんが、予約した日の3日前にキャンセルされると、キャンセル料をお支払いいただかなければなりません。
> 女：はい、分かっています。
> ①女性は3日前に予約をしました。
> ②女性はホテルへ行って予約しています。
> ③女性は追加料金を払わなくてもいいです。
> ④女性は予約をキャンセルしようと電話しました。

［25-26］다음을 듣고 물음에 답하십시오。 TR 18

여자: 10살 여자 아이를 찾습니다. 이름은 김미나입니다. 흰색 티셔츠와 노란색 치마를 입고 있으며 키가 크고 머리가 아주 깁니다. 가방을 메고 있습니다. 이 아이를 보신 분은 1층 미아보호소로 와 주세요. 감사합니다.

25. 正解：③안내

解説：**여자 아이를 찾습니다**（女の子を捜しています）から、迷子の案内放送であることを判断する。

[25-26] 次の音声を聞いて、問いに答えなさい。
女：10歳の女の子を捜しています。名前はキム・ミナです。白いTシャツに黄色いスカートをはいていて、背が高く、髪がとても長いです。かばんをしょっています。この子を見掛けた方は、1階、迷子保護センターにお越しください。ありがとうございます。

25. どんな話をしているのか選びなさい。
①感謝　②あいさつ　③案内　④招待

26. 正解：④아이를 찾으면 1층으로 가야 합니다.
解説：放送の中身を把握する。選択肢をあらかじめ読んでおき、**가방**（かばん）、**키**（背）、**머리**（髪）、**1층**（1階）に関する発言に注意して聞くことが必要。

26. 聞いた内容と同じものを選びなさい。
①子どもをすでに見つけました。
②子どもはかばんを持っています。
③子どもは背が高く、髪が短いです。
④子どもを見つけたら1階に行かなければいけません。

[27-28] 다음을 듣고 물음에 답하십시오. TR 19
남자: 내일부터 방학인데 나영 씨는 뭐 할 거예요?
여자: 저는 제주도를 아직 못 가 봐서 제주도에 가고 싶어요. 가서 맛있는 귤도 먹고 유명한 산도 보고 싶어요. 철수 씨는요?
남자: 저는 지난 방학 때 제주도에 갔다 왔어요. 그래서 이번에는 부산에 다녀올 생각이에요. 부산 바다에서 수영도 하고 친구들과 재미있는 시간을 보내고 싶어요.
여자: 그럼 제주도의 유명한 관광지 좀 소개해 주세요. 이번 방학이 너무 기대돼요.

27. 正解：②방학에 할 계획
解説：選択肢を読むことで、**방학**（学期休み）に関する話題であることは分かる。**뭐 할 거예요?**（何をするつもりですか?）や**-고 싶어요**（～したいです）、**-ㄹ 생각이에요**（～しようと思います）などの表現から、自らの具体的な計画を話していることが分かるので、②が正解である。④は連体形に**-는**が使われており、今回の休みに限らず一般的に休みをうまく過ごす方法という意味になるため、間違いで

ある。

[27-28] 次の音声を聞いて、問いに答えなさい。
男：明日から学期休みだけど、ナヨンさんは何をするつもりですか？
女：私は済州島にまだ行ったことがないので、済州島に行きたいです。行っておいしいみかんも食べて、有名な山も見たいです。チョルスさんは？
男：私は前の休みに済州島へ行ってきました。ですので、今回は釜山に行こうと思います。釜山の海で泳いで、友達と楽しい時間を過ごしたいです。
女：それでは、済州島の有名な観光地を紹介してください。今回の学期休みがすごく楽しみです。

27. 二人が何について話しているのか選びなさい。
①学期休みにしたこと　②学期休みにする計画
③学期休みにしなければいけないこと　④学期休みを上手に過ごす方法

28. 正解：② 여자는 방학을 기대하고 있습니다.
解説：一番最後の**너무 기대돼요**（すごく楽しみです）が聞き取れれば、正解を選べる。なお、③を除外するにあたり、女性の**아직 못 가 봐서**（まだ行ったことがないので）が聞き取れるとよい。**아직**が鼻音化を起こして**[아징]**となることと、経験を表す**-아/어 보다**の用法に注意。**아직 못 -아/어 봐서**（まだ～したことがないので）や**아직 못 -아/어 봤어요**（まだ～したことがありません）は、このままの形で覚えておくと良い。

28. 聞いた内容と同じものを選びなさい。
①男性は釜山に行ってきました。
②女性は夏休みを楽しみにしています。
③女性は済州島に行ったことがあります。
④男性は夏休み中、楽しい時間を過ごしました。

[29-30] 다음을 듣고 물음에 답하십시오. TR 20
남자: 이 소포를 미국으로 보내려고 하는데요.
여자: 네, 혹시 소포 안에 깨지는 물건이 들어 있나요?
남자: 아니요. 없습니다.
여자: 여기에 받으시는 분 주소와 성함을 정확하게 적어 주세요.
남자: 네, 알겠습니다. 소포는 언제쯤 도착할까요?

여자: 보통 일주일이면 도착하는데 추석 연휴라서 2~3일 정도 늦게 도착할 수 있습니다. 물건이 도착하면 문자로 확인하실 수 있습니다.

29. 正解：① 소포를 부치려고

解説：**소포**（小包）が分からなくても、**보내려고 하는데요**（送りたいのですが）に続くやりとりで何かを送ろうとしていると推測できる。選択肢に**보내다**（送る）がないが、類義語の**부치다**（送る）を知っていれば正解の①を選べる。また、**찾다**（受け取る）や**바꾸다**（交換する）、**확인하다**（確認する）の意味を知っていれば、候補から除外できる。

［29-30］次の音声を聞いて、問いに答えなさい。
男：この小包をアメリカに送りたいのですが。
女：はい、小包の中に壊れ物は入っていますか？
男：いいえ。ありません。
女：ここに受け取る方のご住所とお名前を正確に書いてください。
男：はい、分かりました。小包はいつごろ届きますか？
女：普通なら1週間くらいで到着しますが、秋夕(チュソク)の連休なので2、3日遅くなるかもしれません。荷物が到着したら携帯メールで確認することができます。

29. 男性は今、なぜここに来ましたか？
①小包を出しに　②小包を取りに
③小包を変えに　④小包を確認しに

30. 正解：④ 소포에는 유리로 된 물건이 들어 있지 않습니다.

解説：音声の**깨지는 물건**（割れる物＝壊れ物）と、選択肢の**유리로 된 물건**（ガラスでできた物）を結び付ける必要がある。また、**들어 있나요?**（入っていますか？）と**없습니다**（ありません）のやりとりと、選択肢の**들어 있지 않습니다**（入っていません）も異なっているので注意。

30. 聞いた内容と同じものを選びなさい。
①小包は1週間後に到着します。
②小包を受け取るには、住所を知っていなければなりません。
③小包が到着したか直接確認しなければなりません。
④小包にはガラスでできた物が入っていません。

読解

［31-33］ 다음은 무엇에 대한 이야기입니까? 〈보기〉와 같이 알맞은 것을 고르십시오.

31. 正解：② 수업

解説：**배우다**（学ぶ）という単語から、②**수업**（授業）についての話だと分かる。

> ［31-33］ 次の文は何についての話ですか？　例のように適切なものを選びなさい。
> 31. 午前に料理を習います。午後に韓国語を習います。
> ①天気　②授業　③場所　④日にち

32. 正解：③ 선물

解説：**줄 겁니다**（あげるつもりです）で**주다**（あげる）が使われていることを読み取ることが重要。

> 32. 今日、弟（妹）が卒業します。私は花をあげるつもりです。
> ①趣味　②職業　③プレゼント　④時間

33. 正解：④ 휴일

解説：**일요일**（日曜日）と**회사에 안 갑니다**（会社に行きません）から、④**휴일**（休日）が正解だと分かる。

> 33. 今日は日曜日です。だから、ミノさんは会社に行きません。
> ①運動　②約束　③旅行　④休日

［34-39］ 〈보기〉와 같이 (　　)에 들어갈 제일 알맞은 것을 고르십시오.

34. 正解：③ 가

解説：それぞれの助詞の意味が分かれば、③**가**（～が）が正解だと分かる。

> ［34-39］ 例のように（　　）に入る最も適切なものを選びなさい。
> 34. 頭（　　）いいです。
> ①と　②を　③が　④に

35. 正解：④ 우체국

解説：**편지를 보냅니다**（手紙を送ります）とあるので、④**우체국**（郵便局）が正解で

ある。

35. 手紙を送ります。(　　　) へ行きます。
①薬局　②空港　③消防署　④郵便局

36. 正解 : ③ 읽었습니다

解説 : **책** (本) という名詞に対して使う動詞には、③**읽었습니다** (読みました) が最も適切である。なお、ここでは選択肢が過去形だが、過去形を見て意味がすぐに分からない場合は、**썼습니다** (書きました) から**쓰다** (書く) に戻すなど、活用形を辞書形に戻す練習をすると良い。

36. 昨日図書館に行って、本を借りました。楽しく (　　)。
①書きました　②行きました　③読みました　④過ごしました

37. 正解 : ④ 어둡습니다

解説 : **불을 켜다** (電気をつける) が分かれば、その理由となり得る④**어둡습니다** (暗いです) を入れれば良いことが分かる。

37. 部屋が (　　)。だから電気をつけました。
①良いです　②暑いです　③広いです　④暗いです

38. 正解 : ① 일찍

解説 : 1文目の**도착할 수 없습니다** (到着することができません) という部分から、だから①**일찍** (早く) 出発しましょうと意味がつながる。なお、**제시간** (予定の時間) にある**제**は「私の」ではなく「本来の」という意味。

38. 遅く行くと予定の時間に到着することができません。(　　　) 出発しましょう。
①早く　②ゆっくり　③後で　④今度

39. 正解 : ① 내렸어요

解説 : **안 팔려요** (売れません) 、**그래서** (だから) のつながりから、価格を下げると考えられる。その他の選択肢は全て価格を上げることを意味しているので、①が正解である。**인상하다** (引き上げる) の**인상**は、漢字で書くと「引上」。

39. 品物が売れません。だから値段を (　　　)。
①下げました　②上げました　③高めました　④引き上げました

［40-42］ 다음을 읽고 맞지 않는 것을 고르십시오.

40. 正解：② 이번 캠프는 주말에 이틀 동안 합니다.

解説：案内表示を読む問題の場合、特に数字に注意する。日付、年齢、金額などの情報が重要なためである。ここでは日程が3日間であり、平日に行われることが読み取れるので、②が間違いであることが分かる。

［40-42］ 次の文を読んで、合わないものを選びなさい。
40. 2014年韓国大学家族キャンプ！
－家族の愛を雪と共に－
1. 期間：2014年2月25日（火）～2月27日（木）（2泊3日）
2. 出発場所：韓国大学正門前
3. 対象者：韓国大学教授・職員とその家族
4. 参加費：1万ウォン
①家族の愛のキャンプは冬に行きます。
②今回のキャンプは週末に2日間行います。
③キャンプに参加するには1万ウォンが必要です。
④韓国大学で働く人は参加できます。

41. 正解：① 3일 동안 약을 먹습니다.

解説：ここでも同じく数字が重要である。**4일분**（4日分）という情報があるので、①が間違いであると分かる。

41. 内服薬
イ・ジヨン（女、7歳）様
1日3回 4日分
朝、昼、夕食後
韓国病院
①3日間、薬を飲みます。
②女の子が薬を飲みます。
③1日に3回薬を飲みます。
④ご飯を食べた後に薬を飲みます。

42. 正解：① 일요일은 부산이 더 춥습니다.

解説：気温を読み取れれば問題ない。天気に関する単語として、**맑다**（晴れている、澄んでいる）を知っているとなおよい。

42. 今週末の天気

曜日		土曜日	日曜日
天気			
地域	ソウル	1℃	-5℃
	釜山	10℃	1℃

①日曜日は釜山の方が寒いです。
②土曜日はソウルの方が寒いです。
③今週土曜日は晴れるでしょう。
④今週日曜日は雨が降るでしょう。

[43-45] 다음의 내용과 같은 것을 고르십시오.

43. 正解：④ 저는 커피숍에서 생일 선물을 줬습니다.

解説：**오늘은 친구 생일입니다**（今日は友達の誕生日です）、**선물을 샀습니다**（プレゼントを買いました）、**커피숍에서 친구한테 가방을 선물했습니다**（カフェで友達にかばんをプレゼントしました）という三つの内容をつなげると、正解は④だと導ける。①と③は私と友達が逆になっており、②は順序が異なる。

[43-45] 次の内容と同じものを選びなさい。
43. 今日は友達の誕生日です。私は朝ご飯を食べてからプレゼントを買いました。そしてカフェで友達にかばんをプレゼントしました。
①今日は私の誕生日です。
②友達に会って朝ご飯を食べました。
③私は友達からかばんをもらいました。
④私はカフェで誕生日プレゼントをあげました。

44. 正解：② 저는 장기 자랑에서 노래를 했습니다.

解説：**노래를 잘 못하지만**（歌が上手ではありませんが）、**한 달 동안 열심히 연습해서 노래를 불렀습니다**（1カ月間一生懸命練習して歌を歌いました）という内容を把握すれば、②が正解だと分かる。①と④は内容からは読み取れず、③は内容に反している。**장기 자랑**は「隠し芸大会」のこと。

44. 先週、外国人隠し芸大会がありました。私は歌が上手ではありませんが、参加したかったです。だから、1カ月間一生懸命練習して歌を歌いました。
① 私は歌を歌うことが好きです。
② 私は隠し芸大会で歌を歌いました。
③ 私は一生懸命練習して歌が上手です。
④ 私は1カ月間、隠し芸大会に行きませんでした。

45. 正解：② 매주 모임에 나가서 책을 읽습니다.

解説：**일요일마다**（日曜日ごとに＝毎週日曜日に）が分かれば、正解の②が導ける。**글**（文章）、**전시회**（展示会）などを、それぞれいつやるのかという情報を整理することが必要。

45. 私は毎週日曜日に読書の会へ行きます。読書の会では、毎週本を読んで1カ月に1回、文章を書きます。今週の土曜日はメンバーが書いた文章を展示する予定です。
① 今週土曜日も本を読むつもりです。
② 毎週、会に出て本を読みます。
③ 1カ月に1回、文章の展示会があります。
④ 毎週日曜日、文章を書きに会に出ます。

［46-48］다음을 읽고 중심 생각을 고르십시오.

46. 正解：③ 저는 스트레스를 받으면 노래로 풉니다.

解説：**스트레스 받으면 노래방에 갑니다**（ストレスを感じたらカラオケへ行きます）、**기분이 아주 좋아집니다**（気分がとても良くなります）という部分から、正解が③だと分かる。他の選択肢は主題とは異なる。

［46-48］次の文章を読んで、主題を選びなさい。
46. 私はストレスを感じたら、カラオケへ行きます。歌を歌うとき、大きい声で歌います。そうすると、気分がとても良くなります。
① 私は毎日歌を歌いたいです。
② 私は気分が良いとき、歌を歌います。
③ 私はストレスを感じたら、歌で解消します。
④ 私はストレスを感じる前にカラオケに行きます。

47. 正解：② 우리 어머니는 바쁘게 사십니다.

解説：主題を問われているので最後の一文に惑わされるが、内容に合う選択肢は②し

かない。①と④は内容に反しており、③はここからは読み取れない。選択肢をよく読むことが重要。**양로원**は「介護施設（養老院）」のこと。

> 47. 私の母はほとんど家にいません。月曜日から金曜日までは店に行きます。週末は介護施設へ行ってボランティアをします。私は母と一緒の時間を過ごしたいです。
> ①私の母は週末に休みます。
> ②私の母は忙しく暮らしています。
> ③私は店で多くの時間を過ごします。
> ④私は週末、母と一緒にいます。

48. 正解：① 저는 어제 산 가방이 좋지 않습니다.

解説：ここでは、主題が最後の一文に分かりやすく示されている。これに合う①が正解となる。他の選択肢は内容からは読み取れない。

> 48. 私は昨日デパートへ行きました。あちこち見た後、海外旅行へ行こうと思ってかばんを買いました。でも、かばんの色が気に入りませんでした。
> ①私は昨日買ったかばんが好きではありません。
> ②私はデパートに行くのが好きです。
> ③私は昨日、海外旅行会社を見学しました。
> ④私は旅行場所が気に入りません。

［49-50］다음을 읽고 물음에 답하십시오.

49. 正解：③ 인형을 전시하는

解説：**박물관**（博物館）が分かれば、③**인형을 전시하는**（人形を展示する）が正解だと分かる。

> **[49-50]** 次の文章を読んで、問いに答えなさい。
> 最近（　㉠　）「人形博物館」が人気です。そこには昔の人形がたくさんあります。また、最近の有名人そっくりに作った人形もあります。特に、伝統衣装を着た世界各国の人形を見ることができます。大人はそこで子どもたちと一緒に人形を自分で作ることができます。
>
> 49. ㉠に入る適切な言葉を選びなさい。
> ①人形を作る　　②博物館の近くにある
> ③人形を展示する　　④昔の人形をくれる

50. 正解：②이 박물관에서 인형을 만들 수 있습니다.

解説：最後の文で、인형을 직접 만들 수 있습니다（人形を自分で作ることができます）と述べているので②が正解だと分かる。

> 50. この文章の内容と同じものを選びなさい。
> ①最近、人形博物館がたくさんあります。
> ②この博物館で人形を作ることができます。
> ③大人だけがこの博物館に入ることができます。
> ④博物館に行くと、昔の人形だけ見ることができます。

［51-52］다음을 읽고 물음에 답하십시오.

51. 正解：①바른 자세

解説：最初に바르게 앉지 못합니다（正しく座ることができません）とあり、（ ㉠ ）の文の後には具体的な座り方が続くので、教えてもらった内容は正しい座り方であることが分かる。従って①が正解となる。

> ［51-52］次の文章を読んで、問いに答えなさい。
> 私には悪い習慣があります。いすに正しく座ることができません。それで昨日、病院へ行ったんですが、お医者さんがいろいろと（ ㉠ ）について教えてくださいました。目は正面を見て、背中はまっすぐ伸ばします。そして両手は自然に膝の上へ乗せます。今日から悪い習慣を一生懸命直します。
>
> 51. ㉠に入る適切な言葉を選びなさい。
> ①正しい姿勢　②運動姿勢　③面接の姿勢　④悪い習慣

52. 正解：②의자에 바르게 앉는 방법

解説：いすに正しく座る方法を医者に教えてもらい、それによって悪い習慣を直すということが主題なので、②が正解となる。

> 52. 何についての話ですか？　適切なものを選びなさい。
> ①いすに頻繁に座る理由　②いすに正しく座る方法
> ③いすを正しく直す方法　④いすに座る習慣が悪い理由

［53-54］다음을 읽고 물음에 답하십시오.

53. 正解：④ 쉽게 할 수 있는

解説：現代の生活では運動をする**시간이 없어서**（時間がなく）、ダイエットは**쉽지 않습니다**（簡単ではありません）とある。**그래서**（そのため）、**짧은 시간에**（短い時間で）と続くので、これらの記述を受けて④が最も適切な答えとなる。

［53-54］次の文章を読んで、問いに答えなさい。
ダイエットに良い方法があります。毎日同じ時間に運動をすることです。しかし、忙しい現代の生活では運動する時間がなく、ダイエットするのは簡単ではありません。そのため、最近の人たちは短い時間で（　㉠　）「ウオーキング」をよくします。

53. ㉠に入る適切な言葉を選びなさい。
①たくさん走る　②早く肉を落とす
③動かない　④簡単にできる

54. 正解：③ 현대인이 많이 하는 것은 걷기입니다.

解説：③と④の選択肢にある**현대인**（現代人）とは、本文中の**요즘 사람들**（最近の人たち）を指す。①は内容からは読み取れず、②と④は内容に反している。

54. この文章の内容と同じものを選びなさい。
①運動は一緒にしなければいけません。
②毎日運動するのは簡単です。
③現代人がよくすることはウオーキングです。
④現代人はダイエットをする時間がたくさんあります。

［55-56］다음을 읽고 물음에 답하십시오.

55. 正解：④ 그러면

解説：この（　㉠　）には、前の文が後ろの文の前提になることを示す言葉が入る。従って、④**그러면**（そうしたら）が正しい。

［55-56］次の文章を読んで、問いに答えなさい。
ドンゴンさん、今晩サークルの集まりがあってメンバーのほとんどが私の家に来ます。ドンゴンさんも時間があったら来てください。今晩のおやつは私が作るお菓子とパンです。材料は全て準備したので、ドンゴンさんはそのまま来てください。学校の前のバス停から電話してください。（　㉠　）私が直接バス停まで迎えに行きます。
－ミノ－

55. ㉠に入る適切な言葉を選びなさい。
①だから　②そして　③しかし　④そうしたら

56. 正解：② 민호가 간식 재료를 다 준비했습니다.

解説：ミノが書いたメモの中間部分に、재료는 다 준비했으니까（材料は全て準備したので）というくだりがあるので、②が正解だと分かる。他の選択肢は、ミノとドンゴンが逆になっている。

56. この文章の内容と同じものを選びなさい。
①ドンゴンが自分で間食を作るでしょう。
②ミノが間食の材料を全て準備しました。
③ドンゴンは今日の夕食にメンバーを招待しました。
④ミノは停留所でドンゴンに電話するでしょう。

［57-58］다음을 순서대로 맞게 나열한 것을 고르십시오.

57. 正解：② (가)-(나)-(라)-(다)

解説：TOPIK Ⅰでは、文の並べ替え問題の初めの文はどれか一つに固定されているので、選択肢を見て確認する。また、文頭の接続詞に注目することが重要である。この問題の場合は(가)が固定されている。(나)を見ると먼저（まず）という単語があるので、(가)の文につながる次の文だということが分かる。次に、(나)が男性の特徴を述べているのに対して、(다)(라)は女性の特徴を述べている。ここで(다)の文頭には그리고（そして）、(라)の文頭には하지만（しかし）があることに注目すると、男性の内容に対して反対の内容となる(라)が３番目、最後に(다)が来ることが分かる。従って、②(가)→(나)→(라)→(다)と並べるのが正しい。

［57-58］次の文を適切な順に並べたものを選びなさい。
57. (가) 男性と女性はいろいろな異なる特徴がある。
(나) まず、男性は一つのことに対してよく集中する。
(다) そして、たくさんの語彙を使って話すのも女性だ。
(라) しかし、女性はいろいろなことを同時にすることができる。

58. 正解：② (나)-(라)-(다)-(가)

解説：この問題では(나)が固定された文である。(다)と(라)では、(다)は地下鉄の駅からどうやって帰るのかを述べており、(라)では住んでいる家は歩いて20分、バスで5分かかると述べている。(다)と(라)の二つだけでは順序の判断は難しいが、残りの一文の(가)の文頭に**그래서**（そのため）とあるので、その直前に体調が良くなった理由が来なければならない。その理由とは「歩いて帰ること」なので、(가)の前に(다)を置くことになる。従って、②(나)→(라)→(다)→(가)が正しい。

58. (가) そのため最近、体調がとても良くなりました。
(나) 私が住んでいる家は、地下鉄の駅の近くにあります。
(다) 私は地下鉄の駅から家まで歩いて帰ります。
(라) 歩いて20分、バスでは5分かかります。

[59-60] 다음을 읽고 물음에 답하십시오.

59. 正解：③ ㉢

解説：112とは日本の110番に当たる番号。挿入する文の**그러면**（そうすると）が指している内容は、112にいたずら電話をしたり酒を飲んで112に長電話をしたりすることである。そのため、その後ろの㉢が候補に上がる。また、㉢の後ろの文で**또 내가 사고가 났을 때도**（また、自分が事故を起こしたときも）とあり、助詞の**도**（～も）によって直前の内容に付け加えていると考えられるため、㉢にも**도움을 받을 수 없습니다**が来ると判断できる。

[59-60] 次の文章を読んで、問いに答えなさい。
事故が起きたとき、人は普通、警察署の電話番号である112に電話をします。（ ㉠ ）しかし時々、子どもがいたずらで112に電話をします。（ ㉡ ）そして、ある人は酒を飲んで112に電話をし、切ろうとしません。（ ㉢ ）また、自分が事故を起こしたときも助けてもらえません。（ ㉣ ）だから、必要なときだけ112に電話をしなければなりません。

59. 次の文章が入る場所を選びなさい。
そうすると、助けが本当に必要な人が助けてもらえません。

60. 正解：④ 도움이 필요할 때만 112에 전화를 해야 합니다.

解説：最後の文で、**필요할 때만 112에 전화해야 합니다**（必要なときだけ112に電話しなければなりません）と述べている。従って、④が正解だと分かる。①は内容か

ら読み取れず、②と③は内容に反している。

60. この文章の内容と同じものを選びなさい。
①子どもたちは警察署で時々いたずらします。
②子どもたちは警察署の電話番号をよく知りません。
③酒を飲んだ人は112に電話しません。
④助けが必要なときだけ112に電話しなければいけません。

［61-62］다음을 읽고 물음에 답하십시오.

61. 正解：④ 높이에 따라

解説：정상으로 올라갈수록 온도의 차이로 색이 달라집니다（頂上に向かって登るほど、温度の差で色が変わります）という記述から、④높이에 따라（高さによって）が正しいことが分かる。

［61-62］次の文章を読んで、問いに答えなさい。
秋になると、ネジャン山には紅葉を見物に来た登山客がとてもたくさんいます。景色がとてもきれいなので、人々は主に秋に多く訪れます。山の（　㉠　）紅葉の色が違います。山の麓から頂上に向かって登るほど、温度の差で色が変わります。今年も美しく紅葉して、多くの人が訪れる予定です。

61. ㉠に入る適切な言葉を選びなさい。
①天気によって　②季節によって　③場所によって　④高さによって

62. 正解：③ 가을에는 산의 나뭇잎이 여러 가지 색으로 바뀝니다.

解説：단풍（紅葉）についての話なので、山の木の葉がいろいろな色に変わるという内容の③が正しい。

62. この文章の内容と同じものを選びなさい。
①秋に木の葉の変化で登山できません。
②秋には山が登山客の服のため美しいです。
③秋には山の木の葉がいろいろな色に変わります。
④秋になると紅葉を見る人たちがとても美しいです。

［63-64］다음을 읽고 물음에 답하십시오.

63. 正解：① 워크숍 초대에 감사해서

解説：手紙文の主な内容は、最初や最後に書かれることが多い。このメールも워크숍에 초대해 주셔서 감사합니다（ワークショップに招待してくださり、ありがとうございました）と感謝のあいさつで始まっている。従って、①が正しい。

［63-64］次の文章を読んで、問いに答えなさい。
キム・スヒョン会長
会長、本日はワークショップに招待してくださり、ありがとうございました。今回のワークショップは、私にとって興味があるプログラムが多く、とても面白かったです。ワークショップ終了後にすぐごあいさつをしようと思っていました。ですが、他の約束があって、急いで会場を出て来ました。ですので来月、私が直接同窓会本部の事務所にお伺いしようと思います。では、失礼いたします。
　イ・ドンゴン

63. ドンゴンさんはなぜこのメールを書きましたか?
①ワークショップの招待に感謝して
②ワークショップにいらした会員たちに感謝して
③会長をワークショップに招待したくて
④会長と会う他の約束があって

64. 正解：① 이번 워크숍에는 여러 가지 프로그램이 있었습니다.

解説：관심이 있는 프로그램이 많아서（興味があるプログラムが多く）という部分から、ワークショップにはいろいろなプログラムがあったということが分かる。従って、①が正しい。총동문회とは同窓会本部のこと。

64. この文章の内容と同じものを選びなさい。
①今回のワークショップにはいろいろなプログラムがありました。
②同窓会本部は来週再びワークショップをします。
③会員たちは今回のワークショップのプログラムに関心が高かったです。
④ドンゴンさんはワークショップが始まる前に会長に会いたかったです。

［65-66］다음을 읽고 물음에 답하십시오.

65. 正解：④입 안을 깨끗하게

解説：免疫の種類である「唾、涙、まつげ、汗」を並べ、その働きを述べているので、침(唾)についてもその働きを述べた文を選ぶ。입 안을 깨끗하게(口の中をきれいに)が正しい。この問題は침(唾)という単語を知らないと解くのが難しい。

［65-66］次の文章を読んで、問いに答えなさい。
私たちの体は外部から入ってきた悪い物質に強く抵抗し、健康を維持しようとします。このような活動を免疫と言います。唾は（　㉠　）してくれます。涙はほこりを洗い流してくれ、まつげはほこりを遮り、目を保護します。そして汗は皮膚を保護します。これ以外にも、私たちの体にはいろいろな免疫器官があります。

65. ㉠に入る適切な言葉を選びなさい。
①目を熱く　②耳を温かく
③両手を冷たく　④口の中をきれいに

66. 正解：②눈에 먼지가 들어가면 눈물이 나서 씻어 냅니다.

解説：눈물은 먼지를 씻어 주고(涙はほこりを洗い流してくれ)という記述から、②が正解だと分かる。その他の選択肢は内容に反している。

66. この文章の内容と同じものを選びなさい。
①健康は悪い物質に強く抵抗するものです。
②目にほこりが入ると、涙が出て洗い流します。
③私たちの体は内部から出る物質にも抵抗します。
④私たちの体で免疫器官は唾、涙、汗だけです。

［67-68］다음을 읽고 물음에 답하십시오.

67. 正解：③많이

解説：図書館には施設がいろいろあることを示しているので、③많이(たくさん)が正しい。①조금(少し)は内容に合わない。②거의(ほとんど)は一定の基準にもう少しで届くことを表すが、この内容からはその基準が読み取れない。④전혀(まったく)は、後ろに否定が来なければいけないので、この(　　)に入れることはできない。

[67-68] 次の文章を読んで、問いに答えなさい。
私は毎日、午後図書館へ行きます。図書館にはいろいろな良い施設が（　㉠　）あります。1階にはコンピューター室とコピー室があります。2階には休憩室があります。そして、3階には閲覧室と視聴覚室があります。私はこれからもずっと図書館を（　㉡　）。

67. ㉠に入る適切な言葉を選びなさい。
①少し　②ほとんど　③たくさん　④まったく

68. 正解：② 이용할 것입니다

解説：答えを導く重要な語は**앞으로도**（これからも）である。今後のことを述べていることが分かるので、意志を表す**-(으)ㄹ 것이다**が使われた②が正しい。

68. ㉡に入る適切な言葉を選びなさい。
①利用しました　②利用するつもりです
③利用しています　④利用してもいいです

[69-70] 다음을 읽고 물음에 답하십시오.

69. 正解：④ 배울

解説：選択肢が全て動詞の未来連体形なので、後ろに来るものを修飾していることが分かる。（　㉠　）の後ろを見ると**수업 시간표**（授業の時間割）とあるので、**수업**（授業）と最も近い④**배울**（学ぶ）が正しい。

[69-70] 次の文章を読んで、問いに答えなさい。
8時に起きた私は、寝坊したので急いで顔を洗った。母が準備してくれた朝食を食べた後、水を出しっぱなしで歯を磨いた。今日（　㉠　）授業の時間割を確認した後、持ち物の準備のせいで家を出るのが遅れた。そのため、歩いて5分の学校まで父の車に乗って行った。学校の授業を終えて家に帰ってコンピューターゲームをした。だけど、友達が呼ぶので、コンピューターを消さずにそのままサッカーをしに出掛けた。

69. ㉠に入る適切な言葉を選びなさい。
①作る　②送る　③触る　④学ぶ

70. 正解：①나는 오늘 자원을 많이 낭비했습니다.

解説：水道の水、車の燃料、컴퓨터（コンピューター）が消費する電気などは資源である。水道を出しっぱなしにし、近い距離でも車に乗って、ガソリンを消費した。また、コンピューターをつけたままで出掛け、電気も無駄使いした。これらのことから、資源を浪費したことを述べようとしていることが分かるので、①が正しい。他の選択肢の内容は、この文章からは読み取れない。

70. この文章の内容から分かることは何ですか？
①私は今日資源をたくさん浪費しました。
②うちの母は料理が上手です。
③私は今日時間をたくさん使いました。
④うちの父はよく車に乗せてくれます。

模擬試験 2

2회 모의고사

解答・解説・訳

模擬試験２　解答

※左の数字は問題番号、丸数字は正解、右の数字は配点です。

聞き取り

1	①	4
2	④	4
3	③	3
4	③	3
5	④	4
6	①	3
7	③	3
8	②	3
9	①	3
10	②	4
11	④	3
12	③	3
13	②	4
14	③	3
15	③	4
16	①	4
17	④	3
18	④	3
19	④	3
20	③	3
21	②	3
22	②	3
23	③	3
24	②	3
25	①	3
26	①	4
27	②	3
28	②	4
29	③	3
30	②	4

読解

31	①	2
32	②	2
33	①	2
34	③	2
35	④	2
36	②	2
37	②	3
38	②	3
39	③	2
40	④	3
41	④	3
42	③	3
43	②	3
44	②	2
45	③	3
46	②	3
47	①	3
48	④	2
49	④	2
50	①	2
51	②	3
52	③	2
53	②	2
54	③	3
55	①	2
56	③	3
57	④	2
58	③	3
59	③	2
60	②	3
61	①	2
62	①	2
63	④	2
64	②	3
65	④	2
66	④	3
67	①	3
68	③	3
69	①	3
70	③	3

模擬試験 2　解説・訳

※聞き取り問題の場合、解説の前に音声のスクリプトを掲載しました。

聞き取り

［1-4］ 다음을 듣고 <보기>와 같이 물음에 맞는 대답을 고르십시오. TR 21

1. 남자: 이 사람이 친구예요?

正解：①**네, 친구예요.**

解説：**N이에요?/예요?**で質問された場合、答えが肯定なら**네, N이에요/예요**、否定なら**아니요, N이/가 아니에요**で答える。

> ［1-4］次の音声を聞いて、例のように適切な答えを選びなさい。
> 1. 男：この人は友達ですか?
> ①はい、友達です。　②はい、友達がいません。
> ③いいえ、友達が多いです。　④いいえ、友達に会います。

2. 여자: 집이 멀어요?

正解：④**아니요, 집이 가까워요.**

解説：家が遠いかどうかを聞いている。遠いなら**네, 집이 멀어요**（はい、家は遠いです）、遠くないなら**아니요, 집이 가까워요**（いいえ、家は近いです）になる。

> 2. 女：家は遠いですか?
> ①はい、家です。　②はい、家は大きいです。
> ③いいえ、家は狭いです。　④いいえ、家は近いです。

3. 여자: 어제 저녁에 뭐 먹었어요?

正解：③**비빔밥을 먹었어요.**

解説：**뭐**（何）という疑問詞を聞き取る。**뭐**は日本語の「何」と同じく、助詞を付けずに**뭐를**（何を）の意味で使われることが多いので注意する。

> 3. 女：昨日の晩、何を食べましたか?
> ①昨日食べました。　②一人で食べました。
> ③ビビンバを食べました。　④食堂で食べました。

2회 모의고사　解答・解説・訳

4. 남자: 오늘이 무슨 요일이에요?

正解：③ 수요일이에요.

解説：무슨（何の）という疑問詞は連体形なので、後ろに来る名詞と併せて聞き取る。무슨 요일（何曜日）の発音は、ㄴ挿入が起きて［무슨 뇨일］となる。

> 4. 男：今日は何曜日ですか?
> ① 3時です。　② 13日です。
> ③ 水曜日です。　④ 3万ウォンです。

［5-6］ 다음을 듣고 <보기>와 같이 다음 말에 이어지는 것을 고르십시오. TR 22

5. 여자: 창문 좀 닫아 주시겠어요?

正解：④ 네, 알겠습니다.

解説：-아/어 주시겠어요?（〜していただけますか?）は丁寧な依頼の表現。依頼の返答として適切なのは④네, 알겠습니다（はい、分かりました）しかない。

> ［5-6］次の音声を聞いて、例のように次に続くものを選びなさい。
> 5. 女：窓を閉めていただけますか?
> ①はい、おめでとうございます。　②はい、お願いします。
> ③はい、ありがとうございます。　④はい、分かりました。

6. 남자: 선물 고마워요.

正解：① 아니에요.

解説：고마워요（ありがとうございます）という感謝の言葉に対する答えを選ぶ。아니에요（いいえ）が感謝に対する答えになるという知識が必要である。

> 6. 男：プレゼントありがとうございます。
> ①いいえ。　②よくできました。
> ③ありがとうございます。　④ごめんなさい。

［7-10］ 여기는 어디입니까? <보기>와 같이 알맞은 것을 고르십시오. TR 23

7. 여자: 커피 한 잔하고 녹차 두 잔 주세요.

남자: 여기 있습니다.

正解：③ 커피숍

解説：커피（コーヒー）や주세요（ください）などの言葉から、カフェであることは推測ができる。한 잔（1杯）、두 잔（2杯）という数詞と助数詞の組み合わせや、~하고（~と）という助詞も聞き取れるとなお良い。

[7-10] ここはどこですか？　例のように適切なものを選びなさい。
7. 女：コーヒー一つと、緑茶二つください。
男：どうぞ。
①本屋　②銀行　③カフェ　④旅行会社

8. 남자: 2시 50분 표 두 장 주세요.
여자: 네, 여기 있습니다.

正解：②극장

解説：2시 50분（2時50分）と표（チケット）を切り離して聞き取ることと、두 장（2枚）が数詞と助数詞であることを聞き取ることが大切。欲しいのはチケットである。時間の決まったチケットを買う場所は、選択肢の中では②극장（劇場）しかない。

8. 男：2時50分のチケット、2枚ください。
女：はい、こちらです。
①公園　②劇場　③コンビニ　④デパート

9. 남자: 곧 출발이에요. 여행 잘 다녀오세요.
여자: 고마워요. 잘 다녀올게요.

正解：①공항

解説：会話から여행（旅行）に출발（出発）する場所ということが分かるので、空港と判断できる。다녀오세요（行ってらっしゃい）や다녀올게요（行ってきます）が聞き取れるとなお良い。

9. 男：もうすぐ出発ですね。旅行、気を付けて行ってらっしゃい。
女：ありがとうございます。行ってきます。
①空港　②学校　③警察署　④美術館

10. 남자: 112쪽부터 128쪽까지 풀어 오세요.
여자: 네, 알겠습니다.

正解：②교실

解説：쪽（ページ）を知っていることが必要だが、これが分からなくても、풀어 오세요

(解いてきてください) を聞き取れれば、先生が学生に宿題を出していることが分かる。

10. 男 : 112 ページから 128 ページまで解いてきてください。
女 : はい、分かりました。
①花屋 ②教室 ③美容室 ④映画館

[11-14] 다음은 무엇에 대해 말하고 있습니까? <보기>와 같이 알맞은 것을 고르십시오. TR 24

11. 여자: 사과를 살까요?
남자: 저는 사과 안 좋아해요. 포도를 먹고 싶어요.

正解 : ④**과일**

解説 : **사과** (リンゴ) と**포도** (ブドウ) はどちらも果物である。これらの単語が分からなくても、**살까요?** (買いましょうか?) や**먹고 싶어요** (食べたいです) などの言葉がヒントになる。

[**11-14**] 次の音声では何について話をしていますか? 例のように適切なものを選びなさい。
11. 女 : リンゴを買いましょうか?
男 : 私はリンゴが好きじゃありません。ブドウが食べたいです。
①動物 ②運動 ③職業 ④果物

12. 여자: 저는 영화 보는 것을 좋아해요. 민수 씨는요?
남자: 저는 수영을 좋아해요. 그래서 수영장에 자주 가요.

正解 : ③**취미**

解説 : **~을 좋아해요** (~が好きです) と言っているので、お互いの好きなものについて話している。**영화** (映画) と**수영** (水泳) が聞き取れれば、③**취미** (趣味) が正解であると分かる。

12. 女 : 私は映画を見るのが好きです。ミンスさんは?
男 : 私は水泳が好きです。そのため、プールへよく行きます。
①健康 ②学期休み ③趣味 ④食べ物

13. 남자: 1시까지 이 일을 끝내면 됩니까?
여자: 아니요. 9시까지 이메일로 보내세요.

正解：②**시간**

解説：**1시**（1時）と**9시**（9時）が聞き取れれば、時間についてのやりとりをしていることが分かる。~**까지**（~までに）の用法に注意。韓国語では「~まで」と「~までに」の区別がなく、共に~**까지**を使う。

> 13. 男：1時までにこの仕事を終わらせれば良いですか?
> 女：いいえ。9時までにメールで送ってください。
> ①日にち　②時間　③週末　④趣味

14. 여자: 밖에 비가 와요?
남자: 네, 비가 오니까 우산을 가지고 가세요.

正解：③**날씨**

解説：**비가 와요?**（雨が降っていますか?）という問い掛けから、天気について聞いていることが分かる。

> 14. 女：外は雨が降っていますか?
> 男：ええ、雨が降っているので、傘を持って行ってください。
> ①野菜　②旅行　③天気　④季節

［**15-16**］ 다음 대화를 듣고 알맞은 그림을 고르십시오。 TR 25

15. 여자: 이 액자는 어디에 걸까요?
남자: 저기 책상 옆이 좋겠어요.

正解：③

解説：**액자**（額）という単語が分からなくても、男性が**저기 책상 옆**（あそこの机の横）と言っているので、男性が遠くの机を指差している③が正解だと分かる。

> ［**15-16**］次の会話を聞いて、適切な絵を選びなさい。
> 15. 女：この額、どこに飾りましょうか?
> 男：あそこの机の横が良いですね。

16. 남자: 태권도를 배우려고 하는데 어디로 가면 되나요?
여자: 아, 네. 여기에서 등록하시면 됩니다.

正解：①

解説：男性が**어디로 가면 되나요?**（どこへ行けば良いですか?）と尋ね、女性が**여기에서 등록하시면 됩니다**（ここで登録すれば大丈夫です）と答えていることから、道場ではなく受付での会話であると分かる。

> 16. 男：テコンドーを習いたいのですが、どこへ行けば良いですか?
> 女：あ、はい。ここで登録すれば大丈夫です。

［17-21］다음을 듣고 〈보기〉와 같이 대화 내용과 같은 것을 고르십시오. TR 26

17. 남자: 음악회 표가 두 장 있는데 이번 주 토요일에 같이 갈까요?
여자: 미안해요. 이번 주는 친구 병문안을 가야 해서 못 가요.

正解：④**여자는 이번 주에 친구 병문안을 갑니다.**

解説：**같이 갈까요?**（一緒に行きませんか?）という誘いを、**미안해요**（すみません）と断っていることをまず把握し、次に女性が断る理由を聞き取る。**병문안**（お見舞い）は選択肢の中にあるので、選択肢をよく読むことが重要。

> ［**17-21**］次の音声を聞いて、例のように会話の内容と同じものを選びなさい。
> 17. 男：音楽会のチケットが2枚あるのですが、今週の土曜日一緒に行きませんか?
> 女：すみません。今週は友達のお見舞いに行かなければならないので、行けません。
> ①男性は一人で音楽会に行きます。
> ②女性は友達と音楽会に行ってきました。
> ③男性は女性と音楽会に行けます。
> ④女性は今週、友達のお見舞いに行きます。

18. 남자: 실례합니다. 미술관 앞에서 내리려고 하는데 몇 정거장 더 가야 해요?
여자: 미술관은 바로 다음 정류장이라 지금 벨을 눌러야 해요.
남자: 네, 감사합니다.

正解：④**남자는 미술관에 가는 버스를 탔습니다.**

解説：男性が美術館前で降りようとしていることと、美術館前が次の停留所であることを把握する。**정거장**と**정류장**はどちらも停留所という意味で、**정류장**は**ㄹ**の鼻音化が起きて［**정뉴장**］と発音される。また、選択肢④**탔습니다**（乗っていま

す）の意味に注意。今乗り込んだということではなく、乗っている状態であることを表す。

18. 男：すみません。美術館前で降りたいのですが、あとどのくらいですか?
女：美術館はすぐ次の停留所なので、今、ベルを押さないといけません。
男：はい、ありがとうございます。
①男性は美術館を通り過ぎました。
②女性は美術館に行きます。
③女性は次の停留所で降ります。
④男性は美術館に行くバスに乗っています。

19. 여자: 민수 씨, 무슨 고민 있어요?
남자: 요즘 다이어트를 하려고 운동을 하고 있는데 살이 안 빠져서요.
여자: 매일 운동을 해요? 다이어트는 꾸준히 운동을 하는 것이 중요해요.
남자: 그렇군요. 앞으로는 더 열심히 운동을 해야겠어요.

正解：④**남자는 살을 빼려고 운동을 하고 있습니다.**

解説：**다이어트를 하려고**（ダイエットをしようと）、**운동을 하고 있는데**（運動をしているのに）、**살이 안 빠져서요**（肉が抜けなくて=痩せなくて）という男性の発言から、話題を把握する。また、**살이 빠지다**（肉が抜ける=痩せる）の他動詞表現の**살을 빼다**（肉を抜く=痩せる）が選択肢④に出てくるが、これが**다이어트를 하다**（ダイエットをする）の言い換えであることに注意。

19. 女：ミンスさん、悩みでもあるんですか?
男：最近、ダイエットをしようと運動をしているのに、痩せなくて。
女：毎日運動していますか?　ダイエットはこつこつと運動をするのが大切です。
男：そうですか。これからはもっと頑張って運動をしないといけませんね。
①女性はこつこつ運動します。
②女性の悩みはダイエットです。
③男性はダイエットをして痩せました。
④男性は痩せようと運動をしています。

20. 남자: 어서 오세요. 필요하신 것이 있으면 말씀하세요.
여자: 어제 여기에서 신발을 샀는데 집에 가서 신어 보니까 사이즈가 조금 작아서요.
남자: 색상이나 디자인은 같은 것으로 하시나요?

여자: 네. 사이즈만 큰 것으로 바꿔 주세요.

남자: 손님, 죄송하지만 같은 상품으로는 큰 사이즈가 없어서요. 검은색은 사이즈가 있는데 검은색으로 바꾸시겠어요? 아니면 주문을 하셔야 합니다.

여자: 아니요. 주문하고 갈게요.

正解：③남자는 신발 가게에서 일하고 있습니다.

解説：어서 오세요（いらっしゃいませ）と男性が言っていることから店員であると分かるので、③が正解である。また、사이즈가 조금 작아서요（サイズが少し小さくて）という女性の発言や、검은색으로 바꾸시겠어요?（黒に交換なさいますか?）、아니요（結構です）というやりとりから、②や④が間違いだと分かる。

20. 男：いらっしゃいませ。必要なことがあったらおっしゃってください。
女：昨日、ここで靴を買ったのですが、家に帰って履いてみたらサイズが少し小さくて。
男：色やデザインは同じものにしますか?
女：はい。サイズだけ大きいのに変えてください。
男：お客さま、申し訳ございませんが、同じもので大きいサイズがありません。黒はサイズがありますが、黒に交換なさいますか?　でなければ、取り寄せなければなりませんが。
女：いいえ。お取り寄せをお願いします。
①男性は靴を取り寄せます。
②女性は黒い靴に交換しました。
③男性は靴屋で働いています。
④女性は靴が気に入らないので、交換します。

21. 남자: (따르릉) 여보세요, 맛나음식점입니다.

여자: 네, 여기 한국아파트 123동 709호로 비빔밥 한 그릇하고 김치찌개 좀 배달해 주세요.

남자: 지금 점심시간이라 주문이 많아서 오래 걸릴 것 같은데 괜찮으세요?

여자: 네. 그런데 김치찌개는 너무 맵지 않게 해 주세요.

남자: 네. 배달 시간까지 30분 정도 걸립니다.

여자: 네, 알겠습니다.

正解：②여자는 두 가지 음식을 주문했습니다.

解説：冒頭の여보세요（もしもし）から、電話での注文であることが分かるので、④は間違いである。また배달해 주세요（出前お願いします）と言っているのは女性なので、①と③も間違いであり、正解は②だと分かる。

21. 男：（トゥルルル） もしもし、マンナ食堂です。

女：はい、韓国アパート123棟の709号室に、ビビンバ一つと、キムチチゲを出前お願いします。

男：今、昼の時間帯で注文が多いので、少し時間がかかると思いますが、よろしいですか?

女：はい。ところで、キムチチゲはあまり辛くしないでください。

男：はい。お届けするまでに30分くらいかかると思います。

女：はい、分かりました。

①男性は辛い食べ物をよく食べます。

②女性は二つの食べ物を注文しました。

③男性は20分後に食べることができます。

④女性は食堂で食事を注文しています。

［22-24］다음을 듣고 대화 내용과 같은 것을 고르십시오. TR 27

22. 남자: 흐엉 씨, 1시간 후로 약속 시간을 바꿀 수 있을까요?

여자: 네. 그럼 4시에 만나는 걸로 변경하면 되나요?

남자: 네. 2시에 회사에서 회의가 있어요. 아마 3시 넘어서 갈 수 있을 것 같아요. 차도 많이 막힐 것 같고요. 민수 씨에게 전화해서 1시간 후에 만날 수 있는지 물어봐 주세요.

여자: 알겠어요. 민수 씨에게 전화하고 알려 드릴게요.

正解：②여자는 민수 씨에게 전화를 할 겁니다.

解説：**민수 씨에게 전화해서**（ミンスさんに電話して）、**물어봐 주세요**（聞いてみてください）という男性の発言から、女性がこれからミンスさんに電話をすることが予想できるので、②が正解だと分かる。

[22-24] 次の音声を聞いて、会話の内容と同じものを選びなさい。

22. 男：フオンさん、約束の時間を1時間後に変えることはできますか?

女：ええ。それでは4時に会うことに変更すればいいですか?

男：はい。2時に会社で会議があるんです。たぶん、3時を過ぎて行けると思います。車も混むかもしれないし。ミンスさんに電話して、1時間後に会えるか聞いてみてください。

女：分かりました。ミンスさんに電話してお知らせしますね。

①女性は今、男性に会いに行きます。
②女性はミンスさんに電話をします。
③男性は2時に市外に出張します。
④男性は女性と少し早く会おうとします。

23. 남자: 나영 씨, 내일 회의 시간 바뀐 것 알고 있어요? 원래 1시였는데 회사 컴퓨터 점검 때문에 3시로 바뀌었어요.

여자: 그렇군요. 모르고 있었어요. 고마워요.

남자: 아니요. 회의 자료는 제가 복사해서 가져갈게요. 나영 씨는 회의실로 바로 가세요. 회의실은 3층 회의실이 아니고 5층 회의실이에요.

여자: 알겠어요. 정말 고마워요.

正解 : ③회의 자료는 남자가 준비할 겁니다.

解説 : **회사 컴퓨터 점검 때문에 3시로 바뀌었어요**(会社のコンピューターの点検のため3時に変更になりました)、**회의 자료는 제가 복사해서 가져갈게요**(会議資料は私がコピーして持っていきます)、**3층 회의실이 아니고 5층 회의실이에요**(3階の会議室ではなく、5階の会議室です)という男性の発言から、③が正解だと分かる。

23. 男 : ナヨンさん、明日の会議の時間が変更になったのを知っていますか? もともと1時だったのですが、会社のコンピューターの点検のため3時に変更になりました。
女 : そうですか。知りませんでした。ありがとうございます。
男 : いいえ。会議の資料は私がコピーして持っていきます。ナヨンさんは会議室に直接行ってください。会議室は3階の会議室ではなく、5階の会議室です。
女 : 分かりました。本当にありがとうございます。
①明日1時に会議をします。
②会議は3階の会議室でします。
③会議の資料は男性が準備します。
④コンピューターの故障で会議の時間が変わりました。

24. 여자: 오후 1시 공연 표 좀 예매하려고요.

남자: 네, 몇 장 예매하시겠어요?

여자: 어른 두 명하고 어린이 한 명이요. 모두 얼마예요?

남자: 어른은 9천 원이고 어린이는 7천 원이에요. 자리는 공연 시작 전에 안내해 드리겠습니다.

正解：②여자는 표 세 장을 사고 있습니다.

解説：예매하다（あらかじめ買う）を聞き取ることが重要である。어른 두 명하고 어린이 한 명（大人二人と子ども一人）という部分から、女性は合わせて3枚のチケットを買っていることが分かる。また料金は大人一人が9000ウォン、子ども一人が7000ウォンなので、支払う額は2万5000ウォンである。従って③は間違いであり、②が正解となる。

24. 女：午後1時の公演のチケットを予約したいのですが。
男：はい、何枚でしょうか?
女：大人二人と、子ども一人です。全部でいくらですか?
男：大人は9000ウォンで、子どもは7000ウォンです。席は公演が始まる前にご案内いたします。
①男性は公演を見ようとしています。
②女性はチケットを3枚買っています。
③女性は1万6000ウォン払えば良いです。
④男性は席に案内してもらっています。

［25-26］다음을 듣고 물음에 답하십시오. TR 28

남자：손님 여러분, 안녕하십니까? 오늘도 우리 한국항공을 찾아 주셔서 정말 감사합니다. 우리 비행기는 오전 9시에 인천공항을 출발하여 밤 10시에 미국에 도착하는 HK130편입니다. 비행기가 이륙할 때 창문덮개를 모두 열어 주시고, 휴대전화 및 모든 전자제품을 꺼 주시기 바랍니다. 이륙한 후 비행 중에는 전자제품을 사용하실 수 있습니다. 감사합니다.

25. 正解：①부탁

解説：放送の内容は、창문 덮개를 모두 열어 주시고（窓のブラインドを全て開け）、전자제품을 꺼 주시기 바랍니다（電子機器の電源をお切りくださいますよう、お願い申し上げます）とあるように、乗客に対するお願いである。-아/어 주시기 바랍니다（～してくださるようお願いします）が重要表現である。最後に감사합니다（ありがとうございます）という言葉があるが、これは放送で使われる決まり文句なので注意。

[25-26] 次の音声を聞いて、問いに答えなさい。

男：ご搭乗の皆さん、こんにちは。本日も韓国航空をご利用いただきまして、誠にありがとうございます。この飛行機は、午前9時に仁川空港を出発し、夜10時にアメリカに到着するHK130便でございます。飛行機が離陸する際、窓のブラインドを全て開け、携帯電話並びに全ての電子機器の電源をお切りくださいますよう、お願い申し上げます。離陸後、飛行中には電子機器を使用することができます。ありがとうございます。

25. どんな話をしているのか選びなさい。
①お願い ②感謝 ③あいさつ ④謝罪

26. 正解：① 비행기는 미국에 도착합니다.

解説：밤 10시에 미국에 도착하는（夜10時にアメリカに到着する）とあるので、①が正解である。도착하다（到着する）は激音化が起きて[도차카다]となるので、変化が起きた音に慣れておく必要がある。

26. 聞いた内容と同じものを選びなさい。
①飛行機はアメリカに到着します。
②飛行機は夜10時に出発します。
③飛行機が出発するとき、窓のブラインドを閉めなければいけません。
④飛行機内で携帯電話を使えません。

[27-28] 다음을 듣고 물음에 답하십시오. TR 29

남자: 준코 씨는 대학교에 들어가면 무엇을 공부하고 싶어요?

여자: 저는 어릴 때부터 그림 그리는 것을 좋아해서 디자인 공부를 하고 싶어요. 옷이나 가방 디자이너가 되는 것이 제 꿈이에요. 영호 씨는요?

남자: 저는 아직 고민 중이에요. 그런데 요즘 드라마에서 커피 만드는 것을 보니까 커피 만드는 것을 공부하고 싶은데 잘 모르겠어요.

여자: 그거 재미있을 것 같아요. 배워서 나중에 저한테 맛있는 커피를 만들어 주세요.

27. 正解：② 대학교 전공

解説：대학교에 들어가면 무엇을 공부하고 싶어요?（大学へ行ったら、何を勉強したいですか?）という発言から会話が始まっているので、大学の専攻についての

話だと分かる。

[27-28] 次の音声を聞いて、問いに答えなさい。
男：ジュンコさんは大学へ行ったら、何を勉強したいですか?
女：私は子どものころから絵を描くのが好きだったので、デザインの勉強をしたいです。服やかばんのデザイナーになるのが夢です。ヨンホさんは?
男：僕はまだ悩み中です。でも最近ドラマでコーヒーを入れているのを見て、コーヒーを入れることを学びたいと思ったんですが、よく分かりません。
女：それ、面白そうですね。勉強したら、今度私においしいコーヒーを入れてください。

27. 二人が何について話しているのか選びなさい。
①将来の希望　②大学の専攻
③悩む理由　④コーヒーを入れる方法

28. 正解：② 남자는 무엇을 공부할지 고민하고 있습니다.
解説：女性に勉強したいことを聞かれた男性が저는 아직 고민 중이에요（僕はまだ悩み中です）と言っているので、②が正解だと分かる。

28. 聞いた内容と同じものを選びなさい。
①男性は絵を描くのが好きです。
②男性は何を勉強しようか悩んでいます。
③女性はコーヒーを入れるのを習いたがっています。
④女性は男性にコーヒーの入れ方を教えてあげました。

[29-30] 다음을 듣고 물음에 답하십시오. TR 30
남자: 안녕하세요. 집을 좀 알아보려고 왔는데요. 친구하고 두 명이서 같이 살 건데 혹시 괜찮은 집이 있나요?
여자: 네. 거실과 주방이 있고 방이 두 개인 집이 하나 있어요.
남자: 한 달에 얼마예요?
여자: 한 달에 50만 원이고 전기세와 수도세는 따로 내셔야 합니다.
남자: 음, 그럼 생각해 보고 오후 5시쯤 다시 친구하고 같이 올게요. 그때 그 집을 한번 볼 수 있을까요?
여자: 그럼요. 그때 집을 좀 둘러보시고 결정하세요.

29. 正解：③ 집을 구하려고

解説：選択肢を見ると、**집을**（部屋を）の部分は共通している。**알아보려고**（探しに）や**친구하고 두 명이서 같이 살 건데**（友達と二人で一緒に住むんですが）の部分から判断すると、③**집을 구하려고**（部屋を探しに）来たということが分かる。

[29-30] 次の音声を聞いて、問いに答えなさい。

男：こんにちは。部屋を探しに来たのですが。友達と二人で一緒に住むんですが、良い部屋はありますか？

女：ええ。居間と台所があって、部屋が二つの家が1箇所ありますよ。

男：1カ月いくらですか？

女：1カ月50万ウォンで、電気代と水道代は別途支払わなければなりません。

男：うーん、じゃあ、少し考えてから、午後5時ごろまた友達と一緒に来ます。そのとき、その部屋を一度見ることができますか？

女：もちろんです。そのとき、部屋をご覧になって決めてください。

29. 男性は今、なぜここに来ましたか？

①部屋を売りに

②部屋を変えに

③部屋を探しに

④部屋を直しに

30. 正解：② 남자는 다시 집을 보러 올 겁니다.

解説：**오후 5시쯤 다시 친구하고 같이 올게요**（午後5時ごろまた友達と一緒に来ます）という男性の発言から、もう一度部屋を見に来ることが分かる。従って、②が正解である。

30. 聞いた内容と同じものを選びなさい。

①女性は昨日、部屋を見に来ました。

②男性はまた部屋を見に来るでしょう。

③男性は一人で住む部屋を探しています。

④女性はこの部屋に住むことに決めました。

読解

［31-33］ 다음은 무엇에 대한 이야기입니까? <보기>와 같이 알맞은 것을 고르십시오.

31. 正解：① 장소

解説：**여기**（ここ）と**저기**（あそこ）は場所を表す代名詞である。二つの文はどちらも① **장소**（場所）について述べている。

［31-33］次の文は何についての話ですか？　例のように適切なものを選びなさい。
31. ここはトイレです。あそこは食堂です。
①場所　②年齢　③天気　④日にち

32. 正解：② 계획

解説：日付と時間、そしてその時間の予定を述べているので、②**계획**（計画）についての話であると分かる。

32. 今日は10月9日です。私は午後2時に友達に会います。
①趣味　②計画　③プレゼント　④友達

33. 正解：① 직업

解説：どちらの文も、どういう仕事をしているかについて述べているので、①**직업**（職業）が正解だと分かる。

33. ジュンコさんは美容師です。ヨンスさんは銀行で仕事をします。
①職業　②家族　③国　④休日

［34-39］ <보기>와 같이 (　　)에 들어갈 제일 알맞은 것을 고르십시오.

34. 正解：③ 을

解説：**읽어요**（読みます）は他動詞であり、その前には**〜을/를 읽어요**（〜を読みます）のように目的語が来る。従って③**을**（〜を）が正解。

［34-39］例のように（　　）に入る最も適切なものを選びなさい。
34. 新聞（　　）読みます。
①と　②が　③を　④で

35. 正解：④ 병원

解説：**배가 아픕니다**（おなかが痛いです）とあるので、④**병원**（病院）が正解である。

> 35. おなかが痛いです。（　　　　　）へ行きます。
> ①空港　②本屋　③市場　④病院

36. 正解：② 봤습니다

解説：**영화**（映画）に対して使う動詞には**보다**（見る）が最も適切である。なお、ここでは選択肢が過去形だが、過去形を見て意味がすぐに分からない場合は、辞書形に戻す練習をするとよい。

> 36. 週末、彼女と一緒に映画館に行きました。悲しい映画を（　　　　）。
> ①書きました　②見ました　③あげました　④蹴りました

37. 正解：② 더럽습니다

解説：後ろの文の初めに**그래서**（だから）とあるので、前の文が後ろの文の理由となっている。掃除をする理由として考えられるのは、②**더럽습니다**（汚いです）である。

> 37. 教室が（　　）。だから友達と一緒に掃除をしました。
> ①狭いです　②汚いです　③暗いです　④難しいです

38. 正解：② 아직

解説：**아직 -지 않았다**という表現を知っていれば、②**아직**（まだ）が正解だと分かる。表現を直訳すると「まだ～しなかった」となるが、「まだ～していない」という日本語に対応する。

> 38. 先週ノートパソコンを注文しました。（　　）家に来ていません。
> ①早く　②まだ　③もう　④時々

39. 正解：③ 켰어요

解説：前の文に**더워요**（暑いです）という内容があり、**그래서**（だから）と続くので、エアコンを③**켰어요**（つけました）が正解である。エアコンやテレビ、ラジオなどの機器を「つける」ときは、韓国語では**켜다**を使う。

39. 暑いです。だからエアコンを（　　　　）。
①見ました　②行きました　③つけました　④聞きました

［40-42］다음을 읽고 맞지 않는 것을 고르십시오.

40. 正解：④ 지금 모든 자리를 예매할 수 있습니다.

解説：**소극장**（小劇場）、**무대 앞**（舞台前）などの言葉から、演劇の案内であることが分かる。連絡先の右側に**무대 앞 좌석은 매진**（舞台前の席は売り切れ）と書いてあるので、全ての席の**예매**（予約）が可能という④が間違いである。

［40-42］次の文を読んで、合わないものを選びなさい。

40.「お母さんと行く旅行」

1. 時間：2014年5月25日（日曜日午後2時、4時）
2. 場所：韓国小劇場
3. 予約及び問い合わせ：02) 123-1234（☞舞台前の座席は売り切れ）

※5歳以下のお子さまは入場できません。

① 公演は全部で2回行います。
② 演劇の公演についての案内です。
③ 4歳の子どもは公演を見ることができません。
④ 今全ての席を予約できます。

41. 正解：④ LT와 SM의 경기는 TV로 볼 수 있습니다.

解説：表の一番右にある**방송**（放送）とは、テレビやラジオでの放送があるかどうかという意味である。LTとSMの試合は表に「×」とあるので、テレビでは放送されないことが分かる。従って、④が間違いである。

41.

バスケット競技の日程

2014.02.11(火)

出場チーム		場所	時間	放送
KE	LD	ソウル	19:00	○
LT	SM	釜山	18:00	×

①スポーツ競技についての案内です。
②11日の試合は全て夜です。
③KEとLDの試合はソウルで行います。
④LTとSMの試合はテレビで見られます。

42. 正解：③ 센터에 주말 프로그램이 있습니다.

解説：文化センターのプログラム表を見ると、火曜日から金曜日までのプログラムしかなく、土曜や日曜、つまり週末のプログラムはない。よって③が間違いである。

> 42.
>
> ○○ 文化センタープログラム
>
> | 時間 | 火 | 水 | 木 | 金 |
> |---|---|---|---|---|
> | 13-15 時 | ヨガ | 歌 | ヨガ | |
> | 15-17 時 | ダンス | 卓球 | 歌 | バドミントン |
>
> ①ダンスは火曜日に2時間行います。
>
> ②歌は1週間に2回あります。
>
> ③センターに週末プログラムがあります。
>
> ④センターでは金曜日にバドミントンを教えます。

[43-45] 다음의 내용과 같은 것을 고르십시오.

43. 正解：② 저는 오늘 전공 책을 빌렸습니다.

解説：대출하다（借りる）と반납하다（返納する、返す）の二つの動詞を知っている必要がある。正解は②となる。

> [43-45] 次の内容と同じものを選びなさい。
>
> 43. 今日、朝ご飯を食べてから父と一緒に図書館へ行きました。私は図書館で専攻に関する本を借りました。父は、歴史の本を返却しました。
>
> ①本を借りて、昼ご飯を食べました。
>
> ②私は今日、専攻の本を借りました。
>
> ③今朝、一人で図書館へ行きました。
>
> ④父は歴史の本を借りました。

44. 正解：② 저는 형한테 졸업 선물을 했습니다.

解説：兄の卒業式に服を贈ったので、②형한테 졸업 선물을 했습니다（兄に卒業祝いをあげました）が適切である。

> 44. 先週、兄の卒業式がありました。お金がありませんでしたが、服をプレゼントしたいと考えました。4週間アルバイトをして、かっこいい服をあげました。
>
> ①私は卒業式で服をもらいました。
>
> ②私は兄に卒業祝いをあげました。
>
> ③私は4週間、兄にかっこいい服をあげました。
>
> ④私はアルバイトをして、服をたくさん買いました。

45. 正解：③ 1년에 한 번 마라톤 대회에 나갑니다.

解説：**1년에 한 번 마라톤 대회에 나가려고**（1年に1回マラソン大会に出場しようと）とあるので、③が適切である。**한 시간씩**（1時間ずつ）走る練習をするのは**토요일마다**（毎週土曜日）である。読み違えに注意。

> 45. 毎週土曜日にマラソンサークルがあります。私たちは、1年に1回、マラソン大会に出場しようと、1時間ずつ走る練習をします。来月にある「春川マラソン大会」にメンバーのほとんどが参加します。
> ①毎週土曜日にマラソン大会が開かれます。
> ②毎年、土曜日に1時間走ります。
> ③1年に1回、マラソン大会に出ます。
> ④来月、春川マラソン大会には全メンバーが参加します。

[46-48] 다음을 읽고 중심 생각을 고르십시오.

46. 正解：② 저는 갖고 싶은 물건은 모두 수첩에 씁니다.

解説：**갖고 싶은 게 있을 때 항상 수첩에 씁니다**（欲しい物があるとき、いつも手帳に書きます）とあるので、欲しいものを全て手帳に書くことが主題であることが分かる。従って、②が正解である。**갖고 싶다**（欲しい）に使われる**갖고**は、**가지고**の縮約形。

> [46-48] 次の文章を読んで、主題を選びなさい。
> 46. 私は欲しい物があるとき、いつも手帳に書きます。手帳に書くとき、一番最初に欲しい物から書きます。そして、その順番通りに物を買うので、今すぐ必要でない物は買わないことがあります。
> ①私は、いつも手帳に書いた物を買います。
> ②私は、欲しい物は全て手帳に書きます。
> ③私は、欲しい物を全て買います。
> ④私は、今すぐには必要でない物を、まず手帳に書いた後で買います。

47. 正解：① 저는 형과 함께 놀고 싶습니다.

解説：**부럽습니다**（うらやましいです）と**형과 함께 시간을 보내고 싶습니다**（兄と一緒の時間を過ごしたいです）という部分が重要である。友達が兄弟でサッカーやバスケットボールをしているように、自分も兄と一緒に遊びたいということが主題なので、①が正解となる。

47. 僕の兄は、勉強よりゲームが好きで、遅くまでゲームをしています。僕は僕の友達がお兄さんと一緒にサッカーやバスケットボールをしているのを見ると、とてもうらやましいです。僕も兄と一緒の時間を過ごしたいです。
①僕は兄と一緒に遊びたいです。
②僕の兄はサッカーのゲーム機を買いたがっています。
③僕の兄は友達と勉強したがっています。
④僕は兄と一緒に遅くまで勉強したいです。

48. 正解：④ 저는 인터넷으로 산 침대를 교환할 겁니다.

解説：最後の다시 다른 침대로 바꿀 겁니다（改めて、他のベッドに交換するつもりです）が主題である。従って、④が正解となる。

48. 先週、インターネットでベッドを買いました。今日、そのベッドを受け取ったのですが、とても小さくて眠れませんでした。それで今日改めて、他のベッドに交換するつもりです。
①私はインターネットでベッドを買うのが好きです。
②私は小さいベッドで寝るのが好きです。
③私は今日、もっと小さいベッドを改めて買うつもりです。
④私はインターネットで買ったベッドを交換するつもりです。

［49-50］ 다음을 읽고 물음에 답하십시오.

49. 正解：④ 여러 모양을 만들 수 있는

解説：（　㉠　）の内容は종이 접기 교실（折り紙教室）を修飾しているので、その教室がどういうものなのかを読んでいけば解くことができる。後ろを見ると、여러 모양의 작품들이 많이 있습니다（いろいろな形の作品がたくさんあります）とあるので、④が正解である。

［49-50］次の文章を読んで、問いに答えなさい。
最近（ ㉠ ）「折り紙教室」が人気です。そこには、他の人が作ったいろいろな形の作品がたくさんあります。特に動物の形の折り紙作品が多いです。また、そこに行くと、世界のいろいろな国の物も見ることができます。大人はそこで子どもと一緒に紙を折って作ることができます。

49. ㉠に入る適切な言葉を選びなさい。
①直接見ることができる　②直接描くことができる
③いろいろな国の紙を売る　④いろいろな形を作ることができる

50. 正解：① 사람들은 종이 접기를 좋아합니다.

解説：最初の文で述べている인기가 많습니다（人気です）は、好きな人が多いという意味である。従って、①が正解である。

> 50. この文章の内容と同じものを選びなさい。
> ①人々は、折り紙が好きです。
> ②動物の形の折り紙作品は少ないです。
> ③いろいろな形の折り紙を折ることができません。
> ④子どもはこの折り紙教室に入ることができません。

［51-52］다음을 읽고 물음에 답하십시오.

51. 正解：② 살 수 있기

解説：（ ㉠ ）の前には계절에 관계없이 마십니다（季節に関係なく飲みます）、後ろには언제든지 마실 수 있습니다（いつでも飲むことができます）とある。いつでもみかんが手に入るということなので、②살 수 있기（買うことができる）が正解である。

> ［51-52］次の文章を読んで、問いに答えなさい。
> 私はみかん茶をよく飲みます。温いお茶で、冬にだけ飲んでいましたが、今は季節に関係なく飲みます。最近は、みかんを1年中（ ㉠ ）からです。だから、みかん茶はいつでも飲むことができます。また、みかん茶を頻繁に飲むと健康に良いです。ビタミンが多いので疲れが早く取れて、肌にも良いです。
>
> 51. ㉠に入る適切な言葉を選びなさい。
> ①あげることができる　②買うことができる
> ③見ることができる　④売ることができる

52. 正解：③ 귤차를 마시는 이유

解説：文章全体を読むと、みかん茶の良い点について書いてあることが分かる。つまり、みかん茶を飲む理由について述べているので、③が正解である。

> 52. 何についての話ですか？　適切なものを選びなさい。
> ①みかん茶を飲む所
> ②みかん茶を飲む方法
> ③みかん茶を飲む理由
> ④みかん茶を簡単に買う方法

[53-54] 다음을 읽고 물음에 답하십시오.

53. 正解：② 스트레스를 풀고

解説：お互いに話しながら笑い、泣くイベントで、訪れる人が増えているという内容である。①は内容に反しており、③は人が増える理由にならない。④は笑ったり泣いたりすることと無関係である。よって②**스트레스를 풀고**（ストレスを解消して）が正解である。

[53-54] 次の文章を読んで、問いに答えなさい。
最近「話のコンサート」が多く開かれています。「話のコンサート」は、最初から最後まで人と一緒に会話をするコンサートです。途中で歌も歌い、ダンスもしますが、会話の方が多いです。コンサートで人々は、一緒に話をしながら泣いたり笑ったりして（ ㉠ ）帰ります。そのため、人々はだんだんとこのコンサートを訪れるようになっています。

53. ㉠に入る適切な言葉を選びなさい。
①会話せずに　②ストレスを解消して
③ストレスを与えて　④プレゼントをあげたりもらったりして

54. 正解：③ 이야기 콘서트를 찾은 사람은 다음에 또 찾습니다.

解説：「話のコンサート」は歌も歌い、ダンスもするが主に会話をするイベントである。そのため、②と④は内容に反している。また、訪れる人が増えているので、①も内容に合わない。従って、③が正解である。

54. この文章の内容と同じものを選びなさい。
①話のコンサートは有名ではありません。
②話のコンサートは、会話より歌の方が多いです。
③話のコンサートを訪れた人は、次また訪れます。
④話のコンサートは途中から最後まで話をします。

[55-56] 다음을 읽고 물음에 답하십시오.

55. 正解：① 그리고

解説：（ ㉠ ）の前後の文を見ると、前の文と後ろの文に原因と結果のつながりがないことが分かる。**그래서**（それで）、**그러면**（そうすると）、**그러니까**（だから）は、いずれも前の文を受けて後ろの文の結果が起きることを表す接続詞である。従って、並列的に文を並べる①**그리고**（それから）が正解となる。

[55-56] 次の文章を読んで、問いに答えなさい。
スーザンさん、今晩友達と一緒に映画を見る予定です。スーザンさんも時間があれば来てください。映画のチケットは私が予約します。(㉠) 飲み物はまだ買っていません。来られるかどうか、午後までに教えてください。私が授業で、電話に出られないかもしれません。そのときはメールを残しておいてください。

－チュンス－

55. ㉠に入る適切な言葉を選びなさい。
①それから　②それで　③そうすると　④だから

56. 正解：③ 준수는 오늘 저녁 영화를 볼 겁니다.

解説：メモを書いているのが誰かを把握することが重要である。ここでは준수 (ジュンス) が書いていることが末尾で分かる。また、最初に오늘 저녁에 친구들과 함께 영화를 볼 거예요 (今晩友達と一緒に映画を見る予定です) とあるので、③が正解となる。

56. この文章の内容と同じものを選びなさい。
①スーザンはもう飲み物を買いました。
②スーザンは映画のチケットを予約します。
③ジュンスは今晩、映画を見る予定です。
④ジュンスは授業のため、メールを受け取れません。

[57-58] 다음을 순서대로 맞게 나열한 것을 고르십시오.

57. 正解：④ (가)-(라)-(나)-(다)

解説：TOPIK Ⅰの並べ替え問題では、固定された1文目をまず確認することと、文頭の接続詞に注目することが重要である。ここでは(가)が1文目である。残りの内容を見ると、(나)の늦잠을 안 자니까 (寝坊をしないので) と(다)の시간이 많아 (時間が多く) の二つは(라)の꼭 아침에 갑니다 (必ず朝行きます) を受けていることが分かるので、(라)が2文目となる。残りの順は(다)の文頭に또 (また) があるので、(다)が最後である。従って、正解は④(가)→(라)→(나)→(다)の順となる。

[57-58] 次の文を適切な順に並べたものを選びなさい。
57. (가) 私は水泳が好きなので、毎週日曜日プールへ行きます。
(나) 週末に寝坊をしないので、生活が規則的です。
(다) また、時間が多く、日曜日にいろいろなことをすることができます。
(라) しかし週末は人が多いので、必ず朝行きます。

58. 正解：③ (나)-(라)-(가)-(다)

解説：ここでの1文目は(나)で、その内容は걸어서 출근합니다（歩いて出勤します）ということである。次に具体的な時間を述べる(라)が来るが、いつも20分かかるところが今日は40分かかったとあり、特別な理由があったことが分かる。その理由を왜냐하면（なぜなら）と述べている(가)が次に来て、さらに(다)と続く。従って、正解は③(나)→(라)→(가)→(다)の順となる。

58. (가) なぜなら、10分ほど歩いたとき、息子さんの家を探しているおばあさんに会ったからです。
(나) 私は毎日、会社まで歩いて出勤します。
(다) 道がよく分からないおばあさんを、息子さんの家まで連れていきました。
(라) 家から会社まで20分かかりますが、今日は40分かかりました。

[59-60] 다음을 읽고 물음에 답하십시오.

59. 正解：③ ㉢

解説：(　　　)に入れる文を見ると、대형 텔레비전（大型テレビ）や안내 설명（案内説明）などの部分から、ツアーバスがしてくれることについて述べている。これが入るのは、이 버스는 일반 버스와 달랐습니다（このバスは一般のバスとは違いました）に続く、③㉢である。

[59-60] 次の文章を読んで、問いに答えなさい。
去年のクリスマス、私たちの家族はソウルに旅行へ行きました。(㉠) ソウルでシティーツアーバスに乗りました。(㉡) このバスは一般のバスとは違いました。(㉢) そして、車から降りて見物もしました。(㉣) 実際に見る前に、車でいろいろな説明を聞いてから見物することができて本当に良かったです。

59. 次の文章が入る場所を選びなさい。
大型テレビがあって、有名な場所を通るたびに案内説明をしてくれました。

60. 正解：② 시티투어 버스에서 유명한 장소를 먼저 봤습니다.

解説：차에서 내려 구경도 했습니다（車から降りて見物もしました）とあり、助詞の～도（～も）を使っていることや、挿入する文で유명한 장소를 지날 때마다（有名な場所を通るたびに）とあることから、見物をする前に、あらかじめバスの中で有名な場所を見たことが分かる。このことから、③は間違いであり먼저 봤습니다（先に見ました）とある②が正解だと分かる。①は内容に反しており、④は内容からは読み取れない。

60. この文章の内容と同じものを選びなさい。
① シティーツアーバスに乗って、ソウルへ行きました。
② シティーツアーバスの中で有名な場所を先に見ました。
③ シティーツアーバスから降りずに、見物をしました。
④ シティーツアーバスには、大きいテレビが何台かありました。

［61-62］ 다음을 읽고 물음에 답하십시오.

61. 正解：① 열려서

解説：（ ㉠ ）の前には매년 10월에는（毎年10月には）とあり、부산국제영화제（釜山国際映画祭）とあるので、定期的なイベントとペアで使われる単語が来なければならない。よって、①열려서（開かれて）が正解である。

［61-62］ 次の文章を読んで、問いに答えなさい。
夏の海としては、釜山の海雲台がとても有名です。多くの人が夏には涼しい海辺で休暇を過ごそうと、釜山に行きます。韓国人だけでなく、外国人もたくさん来ます。また、毎年10月には「釜山国際映画祭」が（ ㉠ ）、世界的に有名な映画俳優や監督を見ることができます。

61. ㉠に入る適切な言葉を選びなさい。
①開かれて ②広くて ③多くて ④高くて

62. 正解：① 부산 해운대는 여름 휴가 장소로 유명합니다.

解説：많은 사람이 여름에 시원한 바닷가에서 휴가를 보내려고（多くの人が夏には涼しい海辺で休暇を過ごそうと）や、외국 사람도 많이 옵니다（外国人もたくさん来ます）という記述から、②や③が間違いであると分かる。また、国際映画祭は10月に開かれるので、夏ではない。よって④も間違いであり、①が正解と

なる。

62. この文章の内容と同じものを選びなさい。
①釜山の海雲台は夏の休暇の場所として有名です。
②夏の休暇シーズンに釜山の海雲台には、人が少ないです。
③釜山の海雲台は外国人があまり行かない所です。
④夏に釜山の海雲台へ行くと、国際映画祭を見ることができます。

[63-64] 다음을 읽고 물음에 답하십시오.

63. 正解：④ 사람들에게 연주회 소식을 알리기 위해서

解説：インターネットを通じたSNSのやりとりである。この場合は最初に具体的な日付と時間、場所を伝え피아노 연주회가 있어요（ピアノ演奏会があります）と複数の人に向けて言っているので、演奏会のお知らせをしていることが分かる。よって④が正解となる。

[63-64] 次の文章を読んで、問いに答えなさい。
「皆さん、キム・スヒョンです。今週土曜日、午後7時に韓国文化会館でミンジュさんのピアノ演奏会があります。時間がある方はぜひいらして、祝ってあげてください。」
「本当ですか？ 私、行けます。皆さん一緒に行きましょう。」
「ミンジュさん、おめでとうございます。」
「良いお知らせですね。必ず行きます。」
「スヒョンさん、良い情報ありがとうございます。」

63. スヒョンさんはなぜこのメッセージを書きましたか？
①演奏会について知りたくて
②演奏会にいらした方々に感謝して
③ミンジュさんを演奏会に招待したくて
④人々に演奏会のニュースを知らせるために

64. 正解：② 수현 씨는 연주회 소식을 알리고 싶었습니다.

解説：演奏会はこれから起こることなので、過去形で述べている①③④は全て間違いである。また、④では演奏者も민주ではなく수현となっている。よって②が正解となる。

64. このやりとりの内容と同じものを選びなさい。
①ミンジュさんは、今週演奏会を成功させました。
②スヒョンさんは、演奏会のニュースを知らせたかったです。
③ミンジュさんは、演奏会の前に人に会いました。
④スヒョンさんは、演奏会で直接ピアノを演奏しました。

[65-66] 다음을 읽고 물음에 답하십시오.

65. 正解：④ 결정짓는

解説：選択肢は全て動詞の連体形。これらの中で、(　　　)の前にある**인상을**(印象を)とペアで使われ得る動詞は**결정짓다**(決定付ける)なので、④が正解である。

[65-66] 次の文章を読んで、問いに答えなさい。
顔にある目の上の毛を眉毛と言う。眉毛は私たちの目を保護してくれる。しかし、最近は人の印象を(　㉠　)役割もする。人は外出する前に、長い時間を眉メイクにかける。またある人は、強い印象を与えるために整形手術までする。従って、人は、眉毛を保護機能としてよりも美容として、より多くの関心を持っている。

65. ㉠に入る適切な言葉を選びなさい。
①書く　②読む　③呼ぶ　④決定付ける

66. 正解：④ 눈썹은 미용의 기능으로 더 중요하게 되었습니다.

解説：**보호의 기능보다는 미용으로 더 많은 관심을 가진다**(保護機能としてよりも美容として、より多くの関心を持っている)とあるので、眉は美容として重要になっていることが分かる。従って、④が正解となる。

66. この文章の内容と同じものを選びなさい。
①眉毛は私たちの顔を保護します。
②人は短い時間で、眉メイクをします。
③人は外出した後、眉メイクを必ずします。
④眉は美容の機能として、より重要になっています。

［67-68］다음을 읽고 물음에 답하십시오.

67. 正解：① 많이

解説：（ ㉠ ）の後ろの文にある**대부분**（ほとんど）は、スマートフォンを使っている多くの人のほとんどという意味で用いられている。従って、（ ㉠ ）の中にはスマートフォンを使う人が多いということを表す①が入る。

> ［67-68］次の文章を読んで、問いに答えなさい。
> 最近、バスや地下鉄の中でスマートフォンを持っている人を（ ㉠ ）見掛けます。スマートフォンがある人は、地下鉄やバスに乗ると、ほとんどスマートフォンを取り出します。そして、ニュースやドラマを見たり、ゲームをしたりします。また、メールを送ったり、SNSに書き込んだりもします。しかし20年前は、ほとんどの人はバスの中で本や新聞を（ ㉡ ）。
>
> 67. ㉠に入る適切な言葉を選びなさい。
> ①多く ②まず ③ほぼ ④少し

68. 正解：③ 들고 있었습니다

解説：**20년 전**（20年前は）という部分から、過去のことについて述べていることが分かる。従って、過去形を用いている③が正解となる。

> 68. ㉡に入る適切なものを選びなさい。
> ①持っています ②持っているでしょう
> ③持っていました ④持っているはずです

［69-70］다음을 읽고 물음에 답하십시오.

69. 正解：① 올린

解説：（ ㉠ ）の直前には**블로그에 다시**（ブログにもう一度）とある。後ろの**것**（もの）は**사진**（写真）を言い換えたものなので、ブログに写真をどうするのかを答える問題である。ここでは、「アップロードする」という意味で**올리다**（上げる、ブログに載せる）という単語を用いる。

[69-70] 次の文章を読んで、問いに答えなさい。

ヨンヒのブログには、いろいろな写真がたくさんあります。しかし、ヨンヒが自分で撮った写真はほとんどありません。インターネットで写真を集めて、ソフトを使って少しずつ写真を変えます。そして、ブログにもう一度（　㉠　）ものがほとんどです。時には、人の顔を面白く変えたりします。それで好きな俳優の写真に、友達の顔を面白く加工して、送ったりもします。

69. ㉠に入る適切な言葉を選びなさい。
　①上げた　②送った　③変わった　④読んだ

70. 正解 : ③ 사진을 직접 찍지 않아도 블로그를 할 수 있습니다.

解説 : 영희가 직접 찍은 사진은 거의 없습니다 (ヨンヒが自分で撮った写真はほとんどありません) や사람들의 얼굴을 재미있게 바꾸기도 합니다 (人の顔を面白く変えたりします) という記述から、③が正解である。その他の選択肢は内容から読み取れない。

70. この文章の内容から分かることは何ですか?
　①ブログの写真は自分で撮ってはいけません。
　②インターネットでは、必要な写真を探すことができません。
　③写真を自分で撮らなくてもブログができます。
　④人々はインターネットの写真を他の写真に変えません。

模擬試験 3

3회 모의고사

解答・解説・訳

模擬試験 3　解答

※左の数字は問題番号、丸数字は正解、右の数字は配点です。

聞き取り

1	①	4
2	③	4
3	②	3
4	③	3
5	②	4
6	③	3
7	①	3
8	②	3
9	④	3
10	②	4
11	①	3
12	②	3
13	④	4
14	②	3
15	②	4
16	②	4
17	②	3
18	②	3
19	③	3
20	④	3
21	①	3
22	③	3
23	③	3
24	④	3
25	④	3
26	①	4
27	②	3
28	④	4
29	②	3
30	②	4

読解

31	④	2
32	①	2
33	③	2
34	③	2
35	②	2
36	②	2
37	③	3
38	④	3
39	③	2
40	④	3
41	①	3
42	④	3
43	①	3
44	④	2
45	②	3
46	③	3
47	①	3
48	②	2
49	①	2
50	②	2
51	②	3
52	②	2
53	②	2
54	④	3
55	①	2
56	②	3
57	①	2
58	①	3
59	③	2
60	④	3
61	②	2
62	②	2
63	②	2
64	①	3
65	④	2
66	①	3
67	③	3
68	①	3
69	①	3
70	③	3

模擬試験 3　解説・訳

※聞き取り問題の場合、解説の前に音声のスクリプトを掲載しました。

聞き取り

［1-4］ 다음을 듣고 〈보기〉와 같이 물음에 맞는 대답을 고르십시오.　TR 31

1. 남자: 저 건물이 은행이에요?

正解：①네, 한국은행이에요.

解説：N이에요?/예요?で質問された場合、答えが肯定なら네, N이에요/예요、否定なら아니요, N이/가 아니에요で答える。

> [1-4] 次の音声を聞いて、例のように適切な答えを選びなさい。
> 1. 男：あの建物は銀行ですか?
> ①はい、韓国銀行です。　②はい、銀行はありません。
> ③いいえ、銀行に行きます。　④いいえ、銀行で働いています。

2. 여자: 방이 넓어요?

正解：③아니요, 방이 좁아요.

解説：部屋が広いなら네, 방이 넓어요（はい、部屋は広いです）、広くないなら아니요, 방이 좁아요（いいえ、部屋は狭いです）になる。

> 2. 女：部屋は広いですか?
> ①はい、部屋です。　②はい、部屋が多いです。
> ③いいえ、部屋は狭いです。　④いいえ、部屋はきれいです。

3. 여자: 누가 선물을 줬어요?

正解：②동생이 줬어요.

解説：누가（誰が）は人を問う疑問詞なので、人を示す選択肢を探せばよい。従って、②が正解である。

> 3. 女：誰がプレゼントをくれましたか?
> ①昨日くれました。　②弟（妹）がくれました。
> ③人形をくれました。　④誕生日だからくれました。

4. 남자: 식당은 몇 층에 있어요?

正解：③3층에 있어요.

解説：**몇 층에**（何階に）と聞かれているので、階数を答えれば良い。**층**という助数詞は使用頻度の高い重要単語。

> 4. 男：食堂は何階にありますか?
> ①ご飯を食べます。　②友達と食べます。
> ③3階にあります。　④図書館の隣にあります。

［5-6］다음을 듣고 <보기>와 같이 다음 말에 이어지는 것을 고르십시오。 TR 32

5. 여자: 왜 늦었습니까?

正解：②늦게 일어났습니다.

解説：理由を問う疑問詞の**왜**（どうして）があるので、遅れた理由を答えているものを選ぶ。従って、②が正解である。

> ［5-6］次の音声を聞いて、例のように次に続くものを選びなさい。
> 5. 女：どうして遅れましたか?
> ①友達と行きました。　②遅く起きました。
> ③車に乗って行きました。　④今向かっています。

6. 남자: 다녀오겠습니다.

正解：③네, 잘 다녀오세요.

解説：**다녀오겠습니다**（行ってきます）に対する答えである**잘 다녀오세요**（行ってらっしゃい）を知っていれば、他の選択肢を除外できる。

> 6. 男：行ってきます。
> ①はい、こんにちは。　②はい、（会えて）うれしいです。
> ③はい、行ってらっしゃい。　④はい、元気にやっています。

［7-10］여기는 어디입니까? <보기>와 같이 알맞은 것을 고르십시오. TR 33

7. 남자: 장미 한 다발만 포장해 주세요.

여자: 네, 알겠습니다.

正解：①꽃집

解説：장미（バラ）と、その後ろの포장해 주세요（包んでください）が聞き取れれば、花屋にいることが分かるので正解の①が選べる。한 다발（一束）は少し難易度が高いが、聞き取れればなお良い。

［7-10］ここはどこですか？　例のように適切なものを選びなさい。
7. 男：バラ1束包んでください。
女：はい、分かりました。
①花屋　②銀行　③郵便局　④図書館

8. 여자: 이 약은 언제 먹어요?
남자: 식사 30분 후에 드세요.

正解：②약국

解説：약（薬）が聞き取れれば薬局だと分かる。さらにその後ろの언제 먹어요?（いつ飲みますか?）で약을 먹다（薬を飲む）の表現が理解できれば、より確実に答えられる。

8. 女：この薬はいつ飲みますか?
男：食事の30分後に飲んでください。
①教室　②薬局　③コンビニ　④カフェ

9. 남자: 요즘 사람들은 어디로 여행을 많이 갑니까?
여자: 일본이나 중국으로 많이 가세요.

正解：④여행사

解説：요즘 사람들은（最近の人は）と어디로 많이 여행을 갑니까?（どこへよく旅行に行くんですか?）の二つが聞き取れれば、最近の人々の旅行先について質問していることが分かる。このような質問ができる場所は旅行会社である。

9. 男：最近の人は、どこへよく旅行に行くんですか?
女：日本や中国へよく行きます。
①学校　②公園　③博物館　④旅行会社

10. 여자: 여기 김치 좀 더 주세요.
남자: 죄송하지만, 김치는 셀프입니다.

正解：②식당

解説：김치（キムチ）と주세요（ください）が聞き取れれば、食堂での会話であることが

分かる。

10. 女：あのう、キムチもう少しください。
男：すみませんが、キムチはセルフサービスです。
①本屋 ②食堂 ③デパート ④運動場

［**11-14**］ 다음은 무엇에 대해 말하고 있습니까? <보기>와 같이 알맞은 것을 고르십시오. TR 34

11. 여자: 지금부터 비빔밥을 만들 거예요.
남자: 그럼 제가 채소를 씻을게요.

正解：①**요리**

解説：**비빔밥**（ビビンバ）と**만들 거예요**（作ります）の二つが分かれば、料理の話をしていることが分かる。**비빔밥**が **[비빔빱]** と濃音化することと、**-(으)ㄹ 거**の**거**が必ず **[꺼]** と濃音化することに注意。

[**11-14**] 次の音声では何について話をしていますか？　例のように適切なものを選びなさい。
11. 女：今からビビンバを作ります。
男：では、私が野菜を洗います。
①料理 ②価格 ③職業 ④趣味

12. 남자: 방학 동안에 무엇을 할 거예요?
여자: 한국의 유명한 관광지를 여행할 거예요.

正解：②**계획**

解説：**무엇을 할 거예요?**（何をしますか？）という質問と**여행할 거예요**（旅行します）という答えから、計画を話していることが分かる。

12. 男：学期休みの間、何をしますか？
女：韓国の有名な観光地を旅行します。
①健康 ②計画 ③天気 ④週末

13. 남자: 내일은 크리스마스라서 수업이 없습니다.
여자: 와, 네, 알겠습니다.

正解：④**휴일**

解説：**크리스마스**（クリスマス）と**수업이 없습니다**（授業がありません）という発言

があるが、韓国ではクリスマスは休日である。従って、休日のため授業がないという話をしていることが分かる。よって④が正解となる。

13. 男：明日はクリスマスなので、授業はありません。
女：わー、はい、分かりました。
①学期休み　②場所　③約束　④休日

14. 여자: 주말에 같이 등산 갈까요?
남자: 좋아요. 봄이라 꽃이 많이 피어서 정말 예쁠 거예요.

正解：②**계절**

解説：**주말에**（週末に）という言葉があるが、日程についての話ではないことに注意。その後の男性の**봄이라 꽃이 많이 피어서**（春なので、花がたくさん咲いて）という言葉から、季節についての話であると分かる。

14. 女：週末、一緒に登山をしに行きませんか?
男：いいですよ。春なので、花がたくさん咲いて本当にきれいでしょうね。
①プレゼント　②季節　③果物　④日にち

［**15-16**］다음 대화를 듣고 알맞은 그림을 고르십시오。 TR 35

15. 남자: 나영 씨, 강아지가 침대 위에서 자요.
여자: 네, 매일 저하고 같이 침대에서 자서 그래요.

正解：②

解説：**강아지가 침대 위에서 자요**（子犬がベッドの上で寝ています）という発言は子犬を見つけて発した言葉だと考えられるので、子犬がベッドの上にいる②③のうち、遠くから子犬を指差している②の絵が正しい。

［**15-16**］次の会話を聞いて、適切な絵を選びなさい。
15. 男：ナヨンさん、子犬がベッドの上で寝ています。
女：ええ、毎日私と一緒にベッドで寝ているので。

16. 남자: 짐이 무거운 것 같은데. 저 이번에 내리니까 여기 앉으세요.
여자: 고맙습니다.

正解：②

解説：**짐이 무거운 것 같은데**（荷物が重そうですが）と**여기 앉으세요**（ここに座って

ください)という二つを聞き取る必要がある。終止形の**무겁다**だけでなく、連体形の**무거운**を聞き取れるようにしておくことが必要。

> 16. 男：荷物が重そうですが。私は次で降りるので、ここに座ってください。
> 女：ありがとうございます。

［17-21］ 다음을 듣고 <보기>와 같이 대화 내용과 같은 것을 고르십시오。 TR 36

17. 여자: 한국 회사에 취직하게 되었어요. 오늘 저녁은 제가 살게요.
남자: 아니에요. 취직했으니까 축하하는 의미로 제가 살게요.

正解：②**여자는 한국 회사에 다닐 겁니다.**

解説：**취직하게 되었습니다**(就職することになりました)という発言が、選択肢では**다닐 겁니다**(通います)と言い換えられていることに気を付ける。また、**취직하다**は**[취지카다]**と激音化するので、変化した発音に慣れておく。

> ［17-21］次の音声を聞いて、例のように会話の内容と同じものを選びなさい。
> 17. 女：韓国の会社に就職することになりました。今夜は私がおごります。
> 男：いいえ。就職したのだからお祝いの意味で僕がごちそうします。
> ①女性は今日の夕食をおごります。
> ②女性は韓国の会社に通います。
> ③男性は韓国の会社に就職しました。
> ④男性は女性の就職を祝いません。

18. 남자: 실례합니다. 한국병원에 가려고 하는데 어떻게 가야 돼요?
여자: 백화점 맞은편에서 길을 건너야 해요. 그리고 오른쪽으로 가면 서울은행 옆에 있어요.
남자: 네, 감사합니다.

正解：②**남자는 길을 몰라서 물어보고 있습니다.**

解説：**어떻게 가야 돼요?**(どうやって行けば良いですか?)と**감사합니다**(ありがとうございます)という男性の発言を聞き取ることで、男性が女性に道を聞き、教えてもらえたことを把握する。このことで③と④は除外できる。また、行きたい場所が**한국병원**(韓国病院)であることが分かれば①も除外できるので、②が正解であると分かる。

18. 男：すみません。韓国病院へ行きたいのですが、どうやって行けば良いですか？
女：デパートの向かい側で道を渡らなければいけません。そして、右へ行くとソウル銀行の隣にあります。
男：はい、ありがとうございます。
①男性はソウル銀行へ行きます。
②男性は道が分からなくて聞いています。
③女性は韓国病院へ行く道を知りません。
④女性は今、韓国病院へ行きたがっています。

19. 여자: 실례합니다. 여기 제 자리인 것 같은데요.
남자: 저는 창문 쪽 자리가 맞는데요. 그리고 제 표에도 24A로 쓰여 있습니다.
여자: 여기는 25열입니다. 여기 앞자리에 앉으셔야 해요.
남자: 아, 제가 실수를 했습니다. 미안합니다.

正解：③남자는 좌석을 잘못 앉았습니다.

解説：제 자리（私の席）が聞き取れれば、女性が自分の席について言っていることが分かるので、正解が③であり、④が除外される。また、男性の창문 쪽 자리（窓側の席）という発言から①が除外でき、女性の여기는 25열입니다（ここは25列です）という発言から②が除外できる。数字の聞き取りに慣れておくことが重要。

19. 女：すみません。ここ、私の席だと思うのですが。
男：私は窓側の席で合っていますが。それに、私のチケットにも、24Aと書いてあります。
女：ここは25列です。前の席に座らなければいけません。
男：あ、私が間違えました。すみません。
①女性は映画館にいます。
②男性は25列に座らなければいけません。
③男性は座席を間違えて座りました。
④女性は男性の席に座っています。

20. 남자: 어제 여기에서 바지를 한 벌 샀는데 바지에 문제가 좀 있네요.
여자: 어떤 문제가 있습니까?
남자: 집에서 바지를 입어 보니까 바지 지퍼가 잘 올라가지 않아요.
여자: 죄송합니다. 손님, 다른 바지로 교환해 드리겠습니다.
남자: 아니요. 그냥 환불해 주세요.

여자: 네, 알겠습니다. 환불 처리해 드리겠습니다.

正解：④**남자는 바지를 환불하고 싶어 합니다.**

解説：**바지를 한 벌 샀는데**（ズボンを1着買ったんですが）と**환불해 주세요**（払い戻ししてください）という男性の発言から、④が正解だと分かる。**샀는데**は**[산는데]**と発音されるので聞き取りに慣れておく。過去形に**-는데**が付く場合は全てこのように**-았/었-**のパッチムが鼻音化することに注意。

> 20. 男：昨日ここで、ズボンを1着買ったんですが、ズボンに少し問題がありますね。
> 女：どんな問題がありますか？
> 男：家でズボンをはいてみたら、ズボンのジッパーがうまく上がりません。
> 女：申し訳ありません。お客さま、他のズボンと交換させていただきます。
> 男：いいえ。払い戻ししてください。
> 女：はい、分かりました。返金処理いたします。
> ①女性は昨日ズボンを買いました。
> ②女性はズボンを交換しに来ました。
> ③男性は買ったズボンが気に入りました。
> ④男性はズボンを返金したがっています。

21. 여자: 한국에서 오전 8시에 출발해서 미국에 밤 9시에 도착하는 HK112편 맞으시죠?

남자: 네, 맞아요.

여자: 이름과 여권번호를 확인해 주세요.

남자: 네, 맞습니다. 그런데 창가 쪽 자리로 주실 수 있습니까?

여자: 잠시만 기다리세요. 네, 창가 쪽 자리로 해 드렸습니다. 7시까지 20번 게이트로 가셔서 7시 30분까지 탑승하시기 바랍니다.

남자: 네, 알겠습니다. 감사합니다.

正解：①**남자는 지금 공항에 있습니다.**

解説：**7시 30분까지 탑승하시기 바랍니다**（7時30分までに搭乗してください）という女性の発言から、男性が乗客で、現在搭乗手続きを行っているところだと分かる。従って、①が正解であり、他の選択肢は内容に反していると判断できる。**-기 바랍니다**（～してくださるようお願いします）という表現は丁寧な依頼を表し、通常は店や会社側から客に向けて使われる。

21. 女：韓国を午前8時に出発して、アメリカに夜9時に到着するHK112便でよろしいですか?
男：はい、そうです。
女：お名前とパスポート番号を確認してください。
男：はい、合っています。ところで、窓側の席にしてもらえますか?
女：少々お待ちくださいませ。はい、窓側の席にさせていただきました。7時までに20番ゲートに行っていただき、7時30分までに搭乗してくださりますようお願いします。
男：はい、分かりました。ありがとうございます。
①男性は今、空港にいます。
②女性は窓側の席を希望しています。
③女性は夜9時にアメリカから出発します。
④男性は7時までに飛行機に乗らなければなりません。

[22-24] 다음을 듣고 대화 내용과 같은 것을 고르십시오. TR 37

22. 남자: 고객님, 전화해 주셔서 감사드립니다. 무엇을 도와 드릴까요?
여자: 7월 휴대전화 요금을 보니까 보통 5만 원 정도 나오는데 10만 원이 나와서요. 확인할 수 있을까요?
남자: 네. 잠시만 기다리세요. 확인해 보니까 7월에 일본으로 국제전화를 많이 하셨네요. 국제전화는 1분에 500원이기 때문에 요금이 많이 나올 수 있습니다.
여자: 아, 이제 기억이 났습니다. 고맙습니다.

正解：③남자는 여자의 전화를 받았습니다.

解説：**휴대전화 요금**（携帯電話の料金）が聞き取れれば、話の内容が分かる。女性が国際電話をかけて料金がかかったということが分かれば、①②④の選択肢は男性と女性が入れ替わっているため除外できる。従って、③が正解である。

[22-24] 次の音声を聞いて、会話の内容と同じものを選びなさい。
22. 男：お客さま、お電話ありがとうございます。ご用件をお伺いいたします。
女：7月の携帯電話の料金を見ると、普段は5万ウォンくらいなのに、10万ウォンかかっているので。確認することはできますか?
男：はい。少々お待ちください。確認したところ、7月に日本へ国際電話を何度もされていますね。国際電話は1分500ウォンなので、料金が高くなることがございます。
女：あ、思い出しました。ありがとうございます。
①女性は通信会社で仕事をしています。
②男性は国際電話を3回かけました。

③男性は女性の電話を受けました。

④男性は携帯電話の料金が高かったです。

23. 남자: 무슨 일로 오셨습니까?

여자: 지하철 2호선 한국대역에서 중요한 서류가 든 봉투를 두고 내렸는데 혹시 찾을 수 있을까요?

남자: 잠시만 기다리세요. 아, 여기 있네요. 한번 확인해 보세요.

여자: 네, 맞아요. 정말 감사합니다.

正解 : ③여자는 지하철 유실물센터에 있습니다.

解説 : 男性が**무슨 일로 오셨습니까?**(どうなさいましたか?)と聞いているので、女性が訪れたことが分かる。また、**봉투를 두고 내렸는데**(封筒を置いて降りてしまったのですが)と言っていることから、地下鉄に忘れ物をしたということが分かり、ここが忘れ物を管理している場所、つまり**유실물센터**(遺失物センター)だと推測できる。従って、③が正解である。

23. 男 : どうなさいましたか?

女 : 地下鉄2号線の韓国大学駅で、重要な書類が入った封筒を置いて降りてしまったのですが、ひょっとして届いていませんか?

男 : 少々お待ちください。あ、ここにありますね。一度確認してみてください。

女 : ええ、これです。本当にありがとうございました。

①男性は韓国大学駅で降りました。

②女性は書類が入った封筒を受け取ることができませんでした。

③女性は地下鉄の遺失物センターにいます。

④男性は重要な書類をなくしてしまいました。

24. 여자: 안녕하세요. 어른 표 한 장하고 어린이 표 두 장 주세요.

남자: 네, 만 원입니다.

여자: 어? 2만 원 아니에요? 여기 어른은 만 원이고 어린이는 5천 원이라고 되어 있는데요.

남자: 네, 그런데 오늘은 어린이날이라서 어린이들은 공짜입니다. 그리고 관람이 끝난 후에 어린이에게는 선물을 줄 예정이니까 끝까지 기다리세요.

正解 : ④여자는 어린이 요금은 내지 않아도 됩니다.

解説 : **어린이들은 공짜입니다**(子どもは無料です)とあるので、④が正解だと分か

る。공짜（無料）という単語を知っていることが重要である。

24. 女：こんにちは。大人1枚と子ども2枚ください。
男：はい、1万ウォンです。
女：え？ 2万ウォンじゃないんですか？ ここに大人は1万ウォンで、子どもは5000ウォンとなっていますが。
男：ええ、そうなんですが、今日は子どもの日なので子どもは無料です。それから観覧が終わったあと、お子さまにはプレゼントをあげる予定ですので、最後まで待っていてください。
①女性は2万ウォン払わなければなりません。
②男性はプレゼントがもらえます。
③男性は今、チケットを買っています。
④女性は子ども料金は払わなくても良いです。

［25-26］다음을 듣고 물음에 답하십시오。 TR 38

남자: 여러분, 안녕하십니까? 교통 정보입니다. 월요일 아침, 출근 시간이라서 차가 많이 막힐 것으로 예상됩니다. 여의도 방향으로 가는 길은 지금 사고가 나서 지나가는 데 어려움을 겪고 있습니다. 여의도 지나는 차량은 주의하시기 바랍니다. 그리고 서울역 근처에서도 20km 이하로 서행하고 있습니다. 그쪽으로 가시는 분들은 다른 길로 돌아가시는 것이 좋겠습니다.

25. 正解：④ 안내

解説：교통 정보입니다（交通情報です）という冒頭の発言とその後の内容から、道路の状況の案内であることが分かる。

［25-26］次の音声を聞いて、問いに答えなさい。
男：皆さん、こんにちは。交通情報です。月曜日の朝、出勤時間のため渋滞することが予想されます。ヨイド方面へ向かう道は、現在事故が起きて通り過ぎるのが難しい状態です。ヨイドを通る車はご注意ください。そして、ソウル駅付近でも20km以下の徐行運転を行っております。ソウル駅方面へ向かう方は、他の道に回って行かれた方が良いでしょう。

25. どんな話をしているのか選びなさい。
①招待　②警告　③紹介　④案内

26. 正解：①사고가 나서 차가 많이 막힙니다.

解説：**지나가는 데 어려움을 겪고 있습니다**（通り過ぎるのが難しい状態です）という言葉が、正解の選択肢である①では**차가 막히다**（渋滞している）という言葉に言い換えられていることに注意。その他の選択肢は内容に反している。

> 26. 聞いた内容と同じものを選びなさい。
> ①事故が起きてすごく渋滞しています。
> ②ヨイド方面は速く行くことができます。
> ③ソウル駅付近は道が混んでいません。
> ④午後の交通情報を伝えています。

［27-28］다음을 듣고 물음에 답하십시오。 TR 39

남자: 지난주 토요일에 가족과 함께 꽃 전시회에 갔다 왔는데 너무 좋았어요. 꽃을 보니까 기분도 좋아지고 머리도 맑아지는 기분이었어요. 나영 씨는 어디에 갔다 왔어요?

여자: 저는 도자기 축제에 다녀왔어요. 거기에서 직접 컵하고 접시를 만들 수 있어서 정말 재미있었어요.

남자: 나영 씨가 만든 컵을 보고 싶어요. 혹시 사진 있어요?

여자: 아니요. 다음에 집에 놀러 오면 그때 보여 줄게요.

27. 正解：②주말에 한 일

解説：**갔다 왔는데**（行ってきたんですが）、**어디에 갔다 왔어요?**（どこへ行ってきましたか?）、**다녀왔어요**（行ってきました）など、先週出掛けたことについて過去形で話している。選択肢のうち、過去のことを指しているのは②である。**한 일**（したこと）に含まれる過去連体形の**-(으)ㄴ**に注意。

> ［27-28］次の音声を聞いて、問いに答えなさい。
> 男：先週の土曜日に、家族と一緒に花の展示会に行ってきたんですが、とても良かったです。花を見たら気分も良くなって頭もスッキリしました。ナヨンさんはどこへ行ってきましたか?
> 女：私は陶磁器祭りに行ってきました。そこで自分でコップとお皿を作ることができて、本当に楽しかったです。
> 男：ナヨンさんが作ったコップ、見てみたいです。写真ありますか?
> 女：いいえ。今度家に遊びに来たら、そのときに見せてあげます。

27. 二人が何について話しているのか選びなさい。
①学期休みの計画　②週末にしたこと
③好きなお祭り　④見たい展示会

28. 正解：④ **남자는 주말을 가족과 함께 보냈습니다.**

解説：**가족과 함께 꽃 전시회에 갔다 왔는데**（家族と一緒に花の展示会に行ってきたんですが）という発言から、男性は家族と一緒に過ごしたことが分かる。従って、④が正解となる。その他の選択肢は内容と一致しない。

28. 聞いた内容と同じものを選びなさい。
①女性はかわいいコップとお皿を買いました。
②女性は花の展示会に行ってきました。
③男性は陶磁器祭りに行ってきました。
④男性は週末を家族と一緒に過ごしました。

[29-30] 다음을 듣고 물음에 답하십시오. TR 40

남자: 무슨 일로 오셨습니까?
여자: 어제 저녁에 공원에서 이 지갑을 주웠어요.
남자: 지갑 안에는 무엇이 있습니까?
여자: 운전 면허증하고 신용 카드 그리고 현금이 30만 원 정도 들어 있어요.
남자: 알겠습니다. 지갑을 분실했다는 신고가 들어오면 바로 주인을 찾아 드리겠습니다. 신고해 주셔서 감사합니다.
여자: 아니에요.

29. 正解：② **지갑을 습득해서**

解説：音声では**지갑을 주웠어요**（財布を拾いました）と言っているが、選択肢では**습득해서**（拾って、拾得して）とあるので言い換えに注意。**줍다**（拾う）の活用形の聞き取りにも慣れておく。また、男性が**지갑을 분실했다는 신고**（財布をなくしたという届出）と発言しているので、ここで惑わされないように内容をよく把握する。

[29-30] 次の音声を聞いて、問いに答えなさい。
男：どうなさいましたか?
女：昨日の晩、公園でこの財布を拾いました。
男：財布の中には何がありますか?
女：運転免許証と、クレジットカード、それと現金が30万ウォンほど入っています。
男：分かりました。財布をなくしたという届出があったら、すぐに持ち主にお返しします。届けてくださってありがとうございます。
女：いいえ。

29. 女性は今、なぜここに来ましたか?
①財布を預けたので ②財布を拾ったので
③財布が変わったので ④財布をなくしたので

30. 正解：② 여자는 지금 경찰서에 있습니다.
解説：財布を拾ったのは女性であり、男性の분실했다는 신고（なくしたという届出）や주인을 찾아 드리겠습니다（持ち主にお返しします）という発言から警察に届けに来たと分かる。よって②が正解である。

30. 聞いた内容と同じものを選びなさい。
①男性は財布をなくしました。
②女性は今警察署にいます。
③男性は昨日、財布を拾いました。
④女性は明日、財布を受け取りに来ます。

読解

［31-33］ 다음은 무엇에 대한 이야기입니까? <보기>와 같이 알맞은 것을 고르십시오.

31. 正解：④ 날씨

解説：**덥습니다**（暑いです）と**따뜻합니다**（暖かいです）の二つに共通するのは、どちらも気温を表すという点である。従って、正解は④**날씨**（天気）。韓国語の**날씨**は晴れや雨などの天候だけでなく、気温や風など気候全般を指す。

［31-33］次の文は何についての話ですか？　例のように適切なものを選びなさい。
31. ソウルはとても暑いです。釜山は暖かいです。
①日にち　②故郷　③家族　④天気

32. 正解：① 나이

解説：固有数詞と、助数詞の**살**（～歳）との組み合わせなので、①が正解となる。40～50以上の固有数詞は用いられる場面が少ないが、年齢を言う場面では使われることが多いので知っておくと良い。

32. 父は52歳です。私は24歳です。
①年齢　②曜日　③国　④食事

33. 正解：③ 친구

解説：**친합니다**（親しいです）と**잘 압니다**（よく知っています）という部分から、③**친구**（友達）が正解であると分かる。

33. ミノさんとユキさんはとても親しいです。だからお互いをよく知っています。
①休暇　②運動　③友達　④授業

［34-39］ <보기>와 같이 (　　)에 들어갈 제일 알맞은 것을 고르십시오.

34. 正解：③ 과

解説：前の**밥**（ご飯）が子音で終わっていることに注目する。①**로**（～で）と②**를**（～を）は、どちらも子音で終わる名詞である**밥**には付けることができない。④**의**（～の）は意味が通じないので、③**과**（～と）が正解である。

3회 모의고사 解答・解説・訳

[34-39] 例のように（　　）に入る最も適切なものを選びなさい。
34. ご飯（　）キムチを食べます。
①で　②を　③と　④の

35. 正解：② 미용실

解説：염색（染色、髪染め）という単語を知っていれば、②미용실が正解であると判断できる。염색は염색하다（髪を染める）という動詞の形でもよく使われる。

35. 髪を染めます。（　　）へ行きます。
①映画館　②美容室　③カフェ　④カラオケ

36. 正解：② 가르쳤습니다

解説：교사（教師）という単語から、②가르쳤습니다（教えました）が正解だと判断できる。また、（　　）の直前に학생들에게 베트남어를（生徒にベトナム語を）とある。このように間接目的語と直接目的語の二つの目的語を取ることができるのは、この選択肢の中では가르치다（教える）だけである。

36. 昨日私の子どもの学校で、1日教師として仕事をしました。生徒にベトナム語を（　　）。
①作りました　②教えました
③料理しました　④歌いました

37. 正解：③ 가깝습니다

解説：毎日会社まで歩くことに対する理由が（　　）に入る。最も適当なのは③가깝습니다（近いです）である。

37. 会社が（　　）。だから毎日歩いて行きます。
①軽いです　②汚いです　③近いです　④暗いです

38. 正解：④ 천천히

解説：지금 가도 사장님을 만날 수 없습니다（今行っても社長に会えません）という部分から、急ぐ必要がないことが分かるので、④천천히が正解である。また、④以外の選択肢は갑시다（行きましょう）に付けることができない。

38. 今行っても社長に会えません。10分休んで（　　）行きましょう。
①主に　②さっき　③幸い　④ゆっくり

39. 正解：③ 등록했어요

解説：동아리에（サークルに）で에（～に）が使われているため、続く選択肢として適切なのは②と③のみである。1文目に뚱뚱해요（太っています）とあり、サークルに入って運動をしようとしていることが分かるので、③등록했어요が正解である。

39. とても太っています。だからテコンドーサークルに（　　）。
①走りました　②申告しました
③登録しました　④運動しました

［40-42］다음을 읽고 맞지 않는 것을 고르십시오.

40. 正解：④ 궁금한 것이 있을 때 여행팀에 전화합니다.

解説：選択肢の①②③は表示通りである。문의（問い合わせ）の部分を見ると、문화팀（文化チーム）担当者の電話番号が書いてある。従って、④が間違いである。

［40-42］次の文を読んで、合わないものを選びなさい。
40. 四季が美しい済州島へ行こう！
◆期間：2014年5月3日～6日（3泊4日）
◆集合場所：文化センター前
◆参加費：20万ウォン
◆問い合わせ：02-123-4568（文化チーム担当者）
○○ 文化センター
①旅行期間は全部で4日です。
②参加者は文化センター前で会います。
③旅行に行くには20万ウォンが必要です。
④気になることがあったら旅行チームに電話します。

41. 正解：① 책을 빌리려면 2층에 갑니다.

解説：대출（貸し出し）が選択肢では빌리려면（借りるには）と言い換えられていることに注意。貸し出しをする場合は1階に行かなければならないので、①が間違いである。

41.

韓国大学 図書館	
4階	休憩室
3階	新聞閲覧室、雑誌閲覧室
2階	ノートパソコン、パソコン使用
1階	貸し出し、案内
地下1階	駐車場

①本を借りるには2階に行きます。
②休みたければ4階に行きます。
③3階で新聞を読めます。
④駐車するには地下1階に行きます。

42. 正解：④ 6학년 학생은 미술학원에 등록할 수 없습니다.

解説：対象の部分を見ると**초등학생 전 학년**（小学生全学年）とあるので、④**6학년 학생은 미술학원에 등록할 수 없습니다**（6年生は美術塾に登録できません）が間違いである。

42.

絵を習いたい 児童は来てください！	◆ 対象：小学生全学年 ◆ 授業：週1回 3時間、週2回 2時間 ◆ 兄弟姉妹登録時、割引 ◆ 教育相談：02) 482-1234 (10:00～20:00) ☆☆美術塾

①午後6時にも相談を受けられます。
②兄弟が一緒に登録すると割引を受けます。
③美術塾の授業時間を選べます。
④6年生は美術塾に登録できません。

［43-45］다음의 내용과 같은 것을 고르십시오.

43. 正解：①저는 노래 수업을 등록했습니다.

解説：最後に**노래 수업을 신청했습니다**（歌のクラスを申し込みました）とある。選択肢では**신청했습니다**（申し込みました）が**등록했습니다**（登録しました）と言い換えられているので注意。従って、①が正解である。他の選択肢は内容に一致しない。

[43-45] 次の内容と同じものを選びなさい。

43. 今日、晩ご飯を食べた後、夫と一緒に文化センターへ行きました。夫は健康のため、ヨガのクラスに登録しました。私は楽しい歌のクラスを申し込みました。

① 私は歌のクラスを登録しました。

② 今日昼に文化センターへ行きました。

③ 文化センターに登録した後、晩ご飯を食べました。

④ 夫は健康のために歌のクラスを申し込みました。

44. 正解 : ④ 저는 여자 친구 생일에 기타를 연주했습니다.

解説 : 기타를 치다 (ギターを弾く) という表現を知っていることが重要。생일날 기타를 쳤습니다 (誕生日の日にギターを弾きました) とあるので、④が正解となる。④では연주했습니다 (演奏しました) と言い換えられている。他の選択肢は、内容からは読み取れない。

44. 昨日は彼女の誕生日でした。ギターを弾けませんが、彼女のために弾きたかったです。1カ月間毎日ギターを練習して、誕生日の日にギターを弾きました。

① 私はギターを弾くことが好きです。

② 私は昨日、誕生日のお祝いをしてもらいました。

③ 私は毎日練習しているので、ギターが上手です。

④ 私は彼女の誕生日にギターを演奏しました。

45. 正解 : ② 매주 동아리에서 영화를 보고 이야기를 합니다.

解説 : 매주 월요일 (毎週月曜日)、영화 한 편을 보고 그 영화에 대해 이야기를 합니다 (映画を1本見て、その映画について話をします) とあるので、②が正解である。他の選択肢は内容に反している。

45. 毎週月曜日、映画サークルの集まりがあります。サークルでは映画を1本見て、その映画について話をします。来週の土曜日は、特別講義として有名な監督を招待して、映画作りについての話を聞く予定です。

① 毎週土曜日に集まって、映画を見ます。

② 毎週サークルで映画を見て話をします。

③ 来週の土曜日には、有名な監督の映画を見ます。

④ 毎週映画を観る前に、その映画について話をします。

［46-48］다음을 읽고 중심 생각을 고르십시오.

46. 正解：③ 스트레스를 풀기 위해 콘서트에 갑니다.

解説：最初の文の록 콘서트에 가면 스트레스를 풀 수 있습니다（ロックコンサートへ行くと、ストレスが発散できます）が主題なので、③が正解となる。

> ［46-48］次の文章を読んで、主題を選びなさい。
>
> 46. ロックコンサートへ行くと、ストレスが発散できます。歌手が歌う歌を一緒に歌いながら、声も張り上げます。そうすると、たまっていたストレスが飛んでいくような気がします。
>
> ①歌手になりたければ、コンサートに行かなければいけません。
>
> ②私は歌手が歌を歌うのを見たいです。
>
> ③ストレスを解消するため、コンサートに行きます。
>
> ④歌手が歌う歌を一緒に歌うと忘れません。

47. 正解：① 저는 누나가 승무원이어서 좋습니다.

解説：누나 덕분에（姉のおかげで）、조금 싼 가격에（少し安い価格で）という部分から、姉が客室乗務員であることによって得をしていることが分かる。従って、①が正解となる。

> 47. 私の姉は客室乗務員なので、飛行機によく乗ります。先週は済州島へ行って、今週は海外へ行きます。姉のおかげで私たち家族も飛行機に乗るとき、少し安い価格でチケットを買うことができます。
>
> ①私は姉が客室乗務員なのでいいです。
>
> ②私は姉と話したいです。
>
> ③客室乗務員は飛行機に頻繁に乗らなければなりません。
>
> ④私の姉は飛行機にたくさん乗りたがっています。

48. 正解：② 저는 사과를 바꾸러 시장에 갈 겁니다.

解説：다시 시장에 가서 다른 사과로 교환할 겁니다（もう一度市場へ行って他のリンゴと交換するつもりです）がこの文章の主題である。従って、②が正解となる。

> 48. 朝、市場でリンゴを1箱買いました。夜、家族とリンゴを食べようと箱を開けたんですが、腐ったリンゴがたくさんありました。だから明日、もう一度市場へ行って他のリンゴと交換するつもりです。
>
> ①私は市場に行くのが好きです。
>
> ②私はリンゴを交換しに市場に行きます。
>
> ③私はリンゴを食べに市場に行きます。
>
> ④私は家族と一緒にリンゴを食べるのが好きです。

[49-50] 다음을 읽고 물음에 답하십시오.

49. 正解：① 사고팔고

解説：2文目の중고 책방에 팔면 필요한 사람이 싼 가격으로 사 갑니다（古本屋に売れば、必要な人が安い値段で買っていきます）という部分から、売ることと買うことが行われている。従って、①が正解である。

> [49-50] 次の文章を読んで、問いに答えなさい。
> 新しい本ではなく、他の人が読んだ本を（ ㉠ ）することができます。必要ない本を捨てずに古本屋に売れば、必要な人が安い値段で買っていきます。
>
> 49. ㉠に入る適切なものを選びなさい。
> ①買ったり売ったり　②聞いたり読んだり
> ③見たり聞いたり　④買ったり捨てたり

50. 正解：② 이미 읽은 책을 싸게 살 수 있다.

解説：2文目の内容から、②が正解だと判断できる。他の選択肢は内容に反している。

> 50. この文章の内容と同じものを選びなさい。
> ①必要ない本は必ず捨てなければならない。
> ②すでに読まれた本を安く買える。
> ③すでに読まれた本は二度と売れない。
> ④古本屋は新しい本を売る所だ。

[51-52] 다음을 읽고 물음에 답하십시오.

51. 正解：② 들어 있기

解説：과일을 먹으면 몸에 좋습니다（果物を食べると体に良いです）とあり、その理由として몸에 필요한 것이（体に必要なものが）と続いている。食べると体に良いということは、体に必要なものが含まれていると判断できるため、②が正解となる。他の選択肢はこの判断に当てはまらない。また④낭비하다（浪費する）は他動詞であり～을/를 낭비하다（～を浪費する）という形をとるため、この点でも除外される。

[51-52] 次の文章を読んで、問いに答えなさい。
私は毎朝、バナナとリンゴを食べます。朝、果物を食べると体にいいです。人の体に必要なものが（ ㉠ ）からです。また、ビタミン剤より新鮮な果物を食べる方がいいからです。だから健康のために朝、果物を食べることが必要です。

51. ㉠に入る適切な言葉を選びなさい。
①ない ②入っている ③足りない ④浪費する

52. 正解：② 아침에 과일을 먹는 이유

解説：들어 있기 때문입니다（入っているからです）や좋기 때문입니다（いいからです）など、理由を述べる表現が続いているが、これらは果物を食べることに対する理由を述べている。また最後に그래서 건강을 위해 아침에 과일을 먹는 것은 꼭 필요합니다（だから健康のために朝、果物を食べることが必要です）とあり、これらの理由により果物を食べるのだということを強調している。従って、②が正解となる。

52. 何についての話ですか？ 適切なものを選びなさい。
①朝、果物を食べる場所 ②朝、果物を食べる理由
③朝、果物を食べる方法 ④朝、果物を作る方法

[53-54] 다음을 읽고 물음에 답하십시오.

53. 正解：② 들으면서

解説：엄마는 책을 읽어 줍니다（お母さんは本を読んであげます）という部分から、子どもはお母さんの本を読む声を聞いていることが推測できる。従って、②が正解となる。

[53-54] 次の文章を読んで、問いに答えなさい。
字が読めない子どもに、お母さんは本を読んであげます。子どもは話を（ ㉠ ）本の絵を見て考えるようになります。最も親しみやすく、穏やかなお母さんの声を頻繁に聞かせると、子どもの性格にも良い影響を与えます。

53. ㉠に入る適切な言葉を選びなさい。
①寝ながら ②聞きながら
③食べながら ④作りながら

54. 正解：④ 편안한 엄마의 목소리는 아이에게 좋습니다.

解説：文章の最後に**편안한 엄마의 목소리를 자주 들려 주면 아이의 성격에도 좋은 영향을 줄 수 있습니다**（穏やかなお母さんの声を頻繁に聞かせると、子どもの性格にも良い影響を与えます）とあるが、これは選択肢の④で述べられていることと同じ内容である。従って、④が正解となる。①と③は内容に反しており、②は内容からは読み取れない。

> 54. この文章の内容と同じものを選びなさい。
> ①お母さんは字が読めません。
> ②子どもは絵本が好きです。
> ③子どもはお母さんの声が嫌いです。
> ④穏やかなお母さんの声は子どもにとって良いです。

［55-56］다음을 읽고 물음에 답하십시오.

55. 正解：① 그러면

解説：（　　）の前後の文を見ると、**전화하다**（電話する）という出来事が、後ろの**파티 준비를 시작하다**（パーティーの準備を始める）という行動の前提になっていることが分かる。従って、選択肢の中で前提を述べる接続詞である①**그러면**（そうしたら）が正解となる。

> [55-56] 次の文章を読んで、問いに答えなさい。
> お父さん！　今日はお母さんの誕生日です。今日の夜、お母さんに内緒でサプライズパーティーをします。プレゼントとケーキはお兄ちゃんと私が準備します。お父さんは会社が終わったら早く帰ってきてください。帰ってくるとき、バス停で降りたら電話してください。（ ㉠ ）私たちがパーティーの準備を始めます。
>
> － 愛する娘より －
>
> 55. ㉠に入る適切な言葉を選びなさい。
> ①そうしたら　②そして　③しかし　④それで

56. 正解：② 엄마는 생일 파티를 알지 못합니다.

解説：**엄마 모르게**（お母さんに内緒で）とあることから、お母さんは誕生日パーティーのことを知らない。従って、②が正解となる。他の選択肢は内容に反している。

56. この文章の内容と同じものを選びなさい。
①この家族は全部で3人です。
②お母さんは誕生日パーティーを知りません。
③お父さんは息子と一緒にケーキを買います。
④娘はお父さんと一緒に誕生日プレゼントを買います。

[57-58] 다음을 순서대로 맞게 나열한 것을 고르십시오.

57. 正解：① (다)-(나)-(가)-(라)

解説：TOPIK Ⅰの並べ替え問題では、まず固定された1文目を確認することと、文頭の接続詞に注目することが重要。1文目は(다)である。**공원에 가서**（公園へ行って）とあることから、公園で自転車に乗ったという内容だが、その他の内容を見ると、全て公園以外の場所について述べているので、(다)の次に逆接の内容が来ることが分かる。従って、2文目には、文頭に**그런데**（しかし）という接続詞がある(나)が来る。そして(가)の**시내 곳곳에 자전거 길이 있어서**（市内のあちこちに自転車用の道があって）という内容が(나)の内容に続くことが分かる。最後の(라)では父も出勤するときに**그 길**（その道）を使うと述べているが、これは自転車用の道のことを指していることが分かる。従って、①(다)→(나)→(가)→(라)が正しい。

[57-58] 次の文を適切な順に並べたものを選びなさい。
57. (가) 市内のあちこちに自転車用の道があって、安全です。
(나) しかし最近では、公園でだけ自転車に乗るのではありません。
(다) 私は先週の土曜日、公園へ行って自転車に乗りました。
(라) 父も出勤するとき、その道を自転車に乗って行きます。

58. 正解：① (나)-(다)-(라)-(가)

解説：固定された1文目は(나)で、今日は**알뜰 시장**（特売市）が開かれる日だという話である。(다)では、その**시장**（市場）が具体的にいつ、どこで開かれるのかを述べている。従って、(나)の次に(다)が来る。そして残りの(라)と(가)を見ると、(라)の**시장에 가서**（市場に行って）と(가)の**돌아왔습니다**（帰ってきました）という部分から、(가)が一番最後になることが分かる。従って、①(나)→(다)→(라)→(가)が正しい。

58. (가) お昼になっておいしいカルグクスを食べて、家に帰ってきました。
(나) 今日は、私たちのアパートで特売市が開かれる日です。
(다) 市場は毎週金曜日の朝、901棟の前で開かれます。
(라) お母さんと私は市場に行って、見物したり、果物も買いました。

[59-60] 다음을 읽고 물음에 답하십시오.

59. 正解：③ ㉢

解説：주말이 아니라 빈방이 많았습니다（週末ではなかったので、空き部屋がたくさんありました）とあるので、人もそれほど多くなかったことが推測できる。従って、この直後の③㉢に入る。

[59-60] 次の文章を読んで、問いに答えなさい。
先週の木曜日、私たち家族は、ソウル近郊の京畿道にあるソンジリゾートへ行きました。（㉠）ソンジリゾートはスキー場で有名です。（㉡）私たちが行ったときは週末ではなかったので、空き部屋がたくさんありました。（㉢）だから私たちは予約した部屋より大きい部屋にしてもらえました。（㉣）部屋はスキー場のすぐ前にあって、眺めがとても良かったです。

59. 次の文章が入る場所を選びなさい。
人もあまり多くありませんでした。

60. 正解：④ 우리 가족은 예약한 방보다 더 큰 방에서 지냈습니다.

解説：예약한 방보다 더 큰 방을 얻었습니다（予約した部屋より大きい部屋にしてもらえました）とあるので、④が正解である。①と③は内容に反しており、②は内容からは読み取れない。

60. この文章の内容と同じものを選びなさい。
①ソンジリゾートはソウルにあります。
②ソンジリゾートは予約が多いことで有名です。
③ソンジリゾートは週末には人が多くありません。
④私たちの家族は予約した部屋より大きい部屋で過ごしました。

［61-62］다음을 읽고 물음에 답하십시오.

61. 正解：② 지내기 위해

解説：（　㉠　）の前を見ると**따뜻한 겨울을**（暖かい冬を）とある。また、**5만 마리쯤이 태화강에서 겨울을 보냅니다**（5万羽くらいがテファ江で冬を過ごします）ともあるので、②**지내기 위해**（過ごすために）が最も適切である。

> **［61-62］** 次の文章を読んで、問いに答えなさい。
> 冬になると、テファ江には、暖かい冬を（ ㉠ ）鳥たちがやって来ます。今年は昨年よりも多くの鳥たちがここにやって来ました。多くの鳥の中で、5万羽くらいがテファ江で冬を過ごします。このようにたくさんの鳥がやって来る理由は、天気もよく、餌を手に入れやすいからです。
>
> 61. ㉠に入る適切な言葉を選びなさい。
> ①探すために　②過ごすために
> ③手に入れるために　④飛ぶために

62. 正解：② 태화강은 먹이를 구하기 쉬운 곳입니다.

解説：最後の文で、鳥がやって来る理由は**날씨도 좋고 먹이를 구하기 쉽기 때문입니다**（天気もよく、餌を手に入れやすいからです）と述べている。従って、②が正解となる。他の選択肢は内容に反している。

> 62. この文章の内容と同じものを選びなさい。
> ①テファ江は冬、とても寒いです。
> ②テファ江は餌を手に入れやすい場所です。
> ③鳥たちはテファ江で秋と冬を過ごします。
> ④今年はテファ江に4万羽の鳥たちがやって来ました。

［63-64］다음을 읽고 물음에 답하십시오.

63. 正解：② 야유회의 참석을 알아보기 위해서

解説：最初にキム・スヒョンさんが送った内容を見ると、日時以外の情報がないことが分かる。**참석이 가능한 분 답글 달아 주세요**（参加可能な方はレスをしてください）とあるので、参加を調べるためにまず連絡したと考えられる。従って、②が正解となる。

[63-64] 次の文章を読んで、問いに答えなさい。

全社員への告知

キム・スヒョン) こんにちは。キム・スヒョンです。今週土曜日、9時から5時までピクニックがあります。参加可能な方はレスをしてください。

パク・ミョンス) パク・ミョンス、参加します。私は参加できます。

ユ・リム) 広報チームは一人を除いて全員参加可能です。イ・ヨンヒさんはお父さまが手術をします。

63. スヒョンさんはなぜこのメッセージを書きましたか?

①ピクニックについて説明するために

②ピクニックの参加を調べるために

③ピクニックの場所を知らせるために

④ピクニックに行く方法を知らせるために

64. 正解：① 박명수 씨는 야유회에 갑니다.

解説：パク・ミョンスさんは**참석합니다**（参加します）と書いているので、ピクニックに行くことが分かる。従って、①が正解となる。他の選択肢は内容に反している。

64. このやりとりの内容と同じものを選びなさい。

①パク・ミョンスさんはピクニックに行きます。

②広報チームは全員ピクニックに行きます。

③ピクニックは週末の朝から夜までします。

④イ・ヨンヒさんの手術はピクニックの日にあります。

[65-66] 다음을 읽고 물음에 답하십시오.

65. 正解：④ 계절에 따라

解説：全体を読むと、**따뜻한 봄에는**（暖かい春には）と**반대로 겨울에는 날씨가 추워서**（反対に冬は寒いので）の二つで対比されていることが分かる。従って、④が正解となる。

[65-66] 次の文章を読んで、問いに答えなさい。

（ ㉠ ）人の運動方法が異なります。暖かい春には、外で行う運動をたくさんします。サイクリング、ウオーキング、バドミントンなど、太陽の光と風に当たりながら、動きの大きい運動をします。反対に冬は寒いので、室内で運動をします。それで、多くの人がジムに登録します。

65. ㉠に入る適切な言葉を選びなさい。
①名前によって　③器具によって
③運動量によって　④季節によって

66. 正解：①사람들은 봄에 자전거를 많이 탑니다.

解説：暖かい春に**밖에서 하는 운동**（外で行う運動）をたくさんして、**자전거 타기**（サイクリング）もするとあるので、①が正解となる。他の選択肢は内容に反している。

66. この文章の内容と同じものを選びなさい。
①人は春に自転車によく乗ります。
②バドミントンは動きが小さい運動です。
③人は春にジムへたくさん行きます。
④人は冬に外で運動をします。

［67-68］다음을 읽고 물음에 답하십시오.

67. 正解：③새로

解説：（　㉠　）の文の前の**선배들이 입은 교복을 후배들에게 물려주는 전통**（先輩たちが着た制服を後輩たちに譲る伝統）という部分から、後輩たちは新しい制服を買わないことが分かる。また、（　㉠　）の中に入れる単語は後ろの**사지 않고**（買わずに）を修飾する副詞となる。従って、③が正解となる。

[67-68] 次の文章を読んで、問いに答えなさい。
最近学校では、先輩たちが着た制服を後輩たちに譲る伝統が生まれました。後輩たちは制服を（㉠）買わずに譲ってもらい、制服代を節約することができます。また、先輩は後輩に譲ることを考えて、制服を乱暴に着ないので、心構えも変わります。私の息子もこの度、高校に入学したので、卒業する先輩に制服をお願いしました。今週の日曜日に制服を（㉡）。

67. ㉠に入る適切な言葉を選びなさい。
①今すぐ　②時々　③新しく　④すでに

68. 正解：①받기로 했습니다

解説：（　㉡　）の文の前に、**졸업하는 학교 선배에게 교복을 부탁했습니다**（卒業する先輩に制服をお願いしました）とあるので、①**받기로 했습니다**（もらうこと

にしました）が最も適切である。**-기로 하다**（〜することにする）は予定を決めるときなどに使う表現である。

68. ㉡に入る適切なものを選びなさい。
①もらうことにしました ②もらうかもしれません
③もらうようです ④もらったことがあります

［69-70］다음을 읽고 물음에 답하십시오.

69. 正解：① **계시는**

解説：（ ㉠ ）の後ろは**부모님**（両親）であり、（ ㉠ ）の中に入る選択肢は全て動詞の連体形である。つまり両親が行う動作が入る。後に**뵈러 갔습니다**（会いに行きました）、**부모님 집**（実家、両親の家）とあるので、両親のところに出向いたことが分かる。両親が移動したわけではないので②③④は間違いであり、①**계시는**（いらっしゃる）が正解となる。

［69-70］次の文章を読んで、問いに答えなさい。
去年のお正月、故郷に（ ㉠ ）両親に会いに行きました。久しぶりに実家に帰ってきたからか、普段は元気な私が風邪をひいてしまい喉が痛くなりました。お正月なので、病院や薬局は開いていませんでした。その時、父が塩水を持ってきてくれました。塩水を何度か口に含んで吐くことを繰り返すと、不思議なことに良くなりました。薬を全然飲んでいないのに、次の日には喉が痛くありませんでした。

69. ㉠に入る適切な言葉を選びなさい。
①いらっしゃる ②行かれる
③お下りになる ④戻ってこられる

70. 正解：③ **소금물은 감기를 낫게 할 수 있습니다.**

解説：**소금물로 여러 번 입 안에 넣고 뱉는 것을 반복하니 신기하게도 좋아졌습니다**（塩水を何度か口に含んで吐くことを繰り返すと、不思議なことに良くなりました）と述べていることから、③が正解であると判断できる。

70. この文章の内容から分かることは何ですか？
①両親はお正月に病院に行きます。
②父は薬局で働いています。
③塩水は風邪を良くすることもできます。
④私はお正月に薬局や病院に行くのが嫌です。

模擬試験 1　解答用紙　受験日　/　/

・模擬試験の解答用紙として、切り取って、あるいは本に付けたままお使いください。
・正解と配点は各模擬試験の「解答・解説・訳」の冒頭に掲載されています。
・級ごとの合格得点ラインについてはP.13をご覧ください。
・「メモ欄」は、答え合わせで気付いたことや、次回の受験までの課題などをメモするのにご活用ください。

聞き取り

問題	解答	得点
1		
2		
3		
4		
5		
6		
7		
8		
9		
10		
11		
12		
13		
14		
15		
16		
17		
18		
19		
20		

小計（　　）点

問題	解答	得点
21		
22		
23		
24		
25		
26		
27		
28		
29		
30		

小計（　　）点

読解

問題	解答	得点
31		
32		
33		
34		
35		
36		
37		
38		
39		
40		
41		
42		
43		
44		
45		
46		
47		
48		
49		
50		

小計（　　）点

問題	解答	得点
51		
52		
53		
54		
55		
56		
57		
58		
59		
60		
61		
62		
63		
64		
65		
66		
67		
68		
69		
70		

小計（　　）点

聞き取り［　　］点 ＋ 読解［　　］点 ＝ 総得点［　　］点

メモ

✂ 切り取り ✂

模擬試験 2　解答用紙

受験日　　/　　/

- 模擬試験の解答用紙として、切り取って、あるいは本に付けたままお使いください。
- 正解と配点は各模擬試験の「解答・解説・訳」の冒頭に掲載されています。
- 級ごとの合格得点ラインについてはP.13をご覧ください。
- 「メモ欄」は、答え合わせで気付いたことや、次回の受験までの課題などをメモするのにご活用ください。

聞き取り

問題	解答	得点
1		
2		
3		
4		
5		
6		
7		
8		
9		
10		
11		
12		
13		
14		
15		
16		
17		
18		
19		
20		

小計（　　）点

問題	解答	得点
21		
22		
23		
24		
25		
26		
27		
28		
29		
30		

小計（　　）点

読解

問題	解答	得点
31		
32		
33		
34		
35		
36		
37		
38		
39		
40		
41		
42		
43		
44		
45		
46		
47		
48		
49		
50		

小計（　　）点

問題	解答	得点
51		
52		
53		
54		
55		
56		
57		
58		
59		
60		
61		
62		
63		
64		
65		
66		
67		
68		
69		
70		

小計（　　）点

聞き取り [　　] 点 ＋ 読解 [　　] 点 ＝ 総得点 [　　] 点

メモ

✂ 切り取り ✂

模擬試験 3 解答用紙

受験日　　/　　/

- 模擬試験の解答用紙として、切り取って、あるいは本に付けたままお使いください。
- 正解と配点は各模擬試験の「解答・解説・訳」の冒頭に掲載されています。
- 級ごとの合格得点ラインについてはP.13をご覧ください。
- 「メモ欄」は、答え合わせで気付いたことや、次回の受験までの課題などをメモするのにご活用ください。

聞き取り

問題	解答	得点
1		
2		
3		
4		
5		
6		
7		
8		
9		
10		
11		
12		
13		
14		
15		
16		
17		
18		
19		
20		

小計（　　）点

問題	解答	得点
21		
22		
23		
24		
25		
26		
27		
28		
29		
30		

小計（　　）点

読解

問題	解答	得点
31		
32		
33		
34		
35		
36		
37		
38		
39		
40		
41		
42		
43		
44		
45		
46		
47		
48		
49		
50		

小計（　　）点

問題	解答	得点
51		
52		
53		
54		
55		
56		
57		
58		
59		
60		
61		
62		
63		
64		
65		
66		
67		
68		
69		
70		

小計（　　）点

聞き取り［　　］点 ＋ 読解［　　］点 ＝ 総得点［　　］点

メモ

✂ 切り取り ✂

模擬試験(予備)　解答用紙

受験日　　/　　/

- 模擬試験の解答用紙として、切り取って、あるいは本に付けたままお使いください。
- 正解と配点は各模擬試験の「解答・解説・訳」の冒頭に掲載されています。
- 級ごとの合格得点ラインについてはP.13をご覧ください。
- 「メモ欄」は、答え合わせで気付いたことや、次回の受験までの課題などをメモするのにご活用ください。

聞き取り

問題	解答	得点
1		
2		
3		
4		
5		
6		
7		
8		
9		
10		
11		
12		
13		
14		
15		
16		
17		
18		
19		
20		

小計（　　）点

問題	解答	得点
21		
22		
23		
24		
25		
26		
27		
28		
29		
30		

小計（　　）点

読解

問題	解答	得点
31		
32		
33		
34		
35		
36		
37		
38		
39		
40		
41		
42		
43		
44		
45		
46		
47		
48		
49		
50		

小計（　　）点

問題	解答	得点
51		
52		
53		
54		
55		
56		
57		
58		
59		
60		
61		
62		
63		
64		
65		
66		
67		
68		
69		
70		

小計（　　）点

聞き取り［　　］点 ＋ 読解［　　］点 ＝ 総得点［　　］点

メモ

✂ 切り取り ✂

著者プロフィール

韓国語評価研究所 (Korean Proficiency Test R&D Center)

韓国語教育の専門出版社と書店を運営するハングルパーク（한글파크）傘下の研究所で、言語評価研究及び外国語・韓国語試験の分析、研究、開発を行っている。全研究員が韓国語教員の免許を所持し、大学機関で韓国語の教師として教育活動に従事している。

韓国語能力試験TOPIK I 初級完全対策

2014年12月21日　初版発行
2025年　1月21日　12刷発行

著　者　韓国語評価研究所
翻　訳　HANA 韓国語教育研究会
日本語解説　鷲澤仁志
編集協力　用松美穂、辻仁志
デザイン・DTP　金暎淑（mojigumi）
CDプレス　株式会社クラウドナイン
印刷・製本　シナノ書籍印刷株式会社

発行人　裵正烈
発　行　株式会社HANA
〒102-0072 東京都千代田区飯田橋 4-9-1
TEL：03-6909-9380　FAX：03-6909-9388
E-mail：info@hanapress.com
発　売　株式会社インプレス
〒101-0051 東京都千代田区神田神保町一丁目105番地

ISBN978-4-8443-7664-4 C0087

● 本の内容に関するお問い合わせ先
HANA 書籍編集部　TEL: 03-6909-9380　FAX: 03-6909-9388

● 乱丁本・落丁本の取り替えに関するお問い合わせ先
インプレス カスタマーセンター FAX: 03-6837-5023
E-mail: service@impress.co.jp
※古書店で購入されたものに関してはお取り替えできません。